Né à Londres en 1929, Len Deighton est reconnu comme l'un des plus grands auteurs de thrillers du XXe siècle. Il est également historien militaire, écrivain culinaire et graphiste. Au cours de sa carrière, qui couvre plus de quatre décennies, il a vendu plus de trente millions de livres, traduits en vingt langues, et sans cesse réédités.

Au Royal College of Art, ses professeurs l'avaient qualifié de subversif, mais c'est son premier roman, *IPCRESS. Danger immédiat*, qui a scellé sa réputation d'iconoclaste.

Grâce à son humour, à des personnages d'une réelle profondeur, à un travail de documentation et de recherche irréprochable et à une voix originale, Len Deighton a révolutionné le thriller d'espionnage moderne. L'énorme succès de *IPCRESS. Danger immédiat* – le « Livre de l'année », selon Ian Fleming –, et des films mettant en scène Harry Palmer, a aussi permis à Michael Caine de devenir une star internationale.

Deighton est principalement connu pour ses romans d'espionnage se déroulant durant la guerre froide, avec des héros provocants issus de la classe ouvrière, tel Bernard Sampson, mais il est aussi l'auteur de *Bomber* (*Un ciel pour bombardiers*), peut-être son plus grand roman, qui décrit de manière clinique et saisissante l'horreur de la guerre ; et de *SS-GB* (*Les Allemands ont envahi l'Angleterre*), une dystopie imaginant l'occupation de la Grande-Bretagne par les nazis, qui nous met au défi de réfléchir à notre attitude face à un gouvernement autoritaire.

L'œuvre de Deighton a marqué l'air du temps et cette influence s'est fait sentir dans l'album *Bomber* de Motörhead, dans les films de Quentin Tarantino, dont les références à son travail sont nombreuses, et même jusqu'aux lunettes d'Austin Powers.

NEIGE SOUS L'EAU

LEN DEIGHTON

NEIGE SOUS L'EAU

traduit de l'anglais par
Laure Casseau

ARCHIPOCHE

Ce roman a été publié sous le titre
Horse Under Water
par Hodder & Stoughton, Londres, en 1963.

Notre catalogue est consultable à l'adresse suivante :
www.archipoche.com

Éditions Archipoche
92, avenue de France
75013 Paris

ISBN 979-1-0392-0219-0

CENTRAL REGISTER

Le document annexe est le n° Iwk/649/ 1942, et fait partie du dossier personnel de <u>Smith</u>, Henry.

À NE PAS DÉTACHER À NE PAS COPIER À NE PAS DÉTRUIRE À NE PAS TRANSFÉRER

À NE MENTIONNER SOUS FORME DE RENVOI DANS AUCUN AUTRE DOCUMENT

Il faut une priorité <u>absolue</u> pour sortir ce document de son dossier.

Chambre des communes
Londres SW 1

Dimanche, 26 janvier 1941

Cher Walter,

Je vous prie de brûler ceci dès que vous l'aurez lu. Dites à Kef qu'il faut absolument qu'il fournisse tout ce que vous demanderez à l'usine de Lyon. Rappelez-lui que ce n'est pas la Résistance française qui a payé son salaire pendant les dix mois qui viennent de s'écouler. Je veux que les cheminées recommencent à fumer aussi vite que possible, ou je vendrai la totalité de l'usine.

Vos amis de la Wehrmacht seraient-ils éventuellement intéressés par l'achat de cette usine ? Cela vous intéresserait-il que je vous nomme mon agent au tarif habituel ? Il me semble qu'une usine dans la zone libre de Vichy serait utile à la lumière de la loi sur le commerce avec l'ennemi.

Je pense que les gens, ici, commencent à comprendre de quel côté le vent a soufflé, et mettent une sourdine à leurs rodomontades. Vous pouvez être assurés que si vos gens entrent effectivement en conflit avec les Soviétiques, nous autres Britanniques ne serons pas longs à comprendre quelle attitude il faut adopter.

Notre usine en Lettonie est perdue pour nous depuis que ce pays s'est vendu aux Soviétiques, et je suis heureux que nos projets pour l'usine en Bucovine ne se soient pas réalisés.

Je suis en train de créer un « braintrust », comme on dit de nos jours, de gens qui partagent mon opinion sur ces questions, en sorte que, lorsque ce pays retrouvera enfin son bon sens, nous soyons en mesure de passer immédiatement à l'action.

Vous avez raison en ce qui concerne les séides de Roosevelt. Maintenant qu'il est réélu pour la troisième fois, ils vont adopter l'attitude de revanche hargneuse de la racaille socialiste ici. Toutefois, Roosevelt n'est pas l'Amérique, et tant que vos gens ne feront rien d'inconsidéré – comme lâcher une bombe sur New York –, il n'y a qu'un tout petit nombre d'Américains qui seront disposés à prendre un fusil s'il leur faut pour cela renoncer à leurs bénéfices.

Brûlez ceci aussitôt.
Amicalement,
Henry.

1

Marrakech, mardi

Marrakech ressemble à la description qu'en donnent les guides touristiques. C'est une ville ancienne, entourée de bois d'oliviers et de palmiers. À l'arrière-plan s'élèvent les montagnes du Haut Atlas, et la place du marché, appelée Djemaa el-Fna, fourmille de jongleurs, danseurs, magiciens, conteurs, charmeurs de serpents et musiciens. Bref, c'est une ville de conte de fées, mais lors de ce voyage je n'en vis guère qu'une chambre d'hôtel infestée de puces, et les visages impassibles de trois politiciens portugais.

Mon hôtel se trouvait dans la vieille ville : la médina. Les pièces étaient peintes en marron et crème, et décorées d'avis m'informant en français d'un certain nombre d'interdictions. De la pièce voisine venaient le son d'un robinet s'égouttant au-dessus d'une baignoire rouillée et le crissement inlassable d'un grillon. Par la moustiquaire déchirée de la fenêtre, j'entendais les bruits d'une ville arabe offrant ses mille marchandises à l'acheteur.

J'enlevai ma cravate et la posai sur le dossier de ma chaise. Je sentais ma chemise trempée coller à mes reins comme un linge froid, tandis qu'une goutte de sueur glissait doucement le long de mon nez, hésitait, puis tombait sur le dossier 128 : « Transfert des comptes sterling détenus par le gouvernement du Portugal au Royaume-Uni, droits et pouvoirs du gouvernement qui lui succédera. »

Nous bûmes du thé à la menthe trop sucré, en mâchant des amandes et des gâteaux de miel poisseux, et je me consolais en songeant que je rentrerais à Londres dans les vingt-quatre heures. Marrakech est peut-être le lieu de rencontre favori des millionnaires, mais aucun millionnaire qui se respecte ne s'y risquerait en plein été. Toute la ville bourdonnait de mouches et de conversations. Les cafés, les restaurants, les bordels n'avaient plus à offrir que des places debout. Et les voleurs à la tire avaient organisé leur activité selon un système de roulement.

— Soit, dis-je. Trente pour cent de vos dépôts seront à votre disposition sitôt que l'ambassadeur de Grande-Bretagne à Lisbonne nous confirmera que la capitale est entre vos mains.

Ils acceptèrent cette condition. Sans enthousiasme, certes, mais ils acceptèrent. Ces révolutionnaires étaient des négociateurs coriaces.

2

Le WOOC (P) possédait une maison délabrée dans la partie la plus minable de Charlotte Street. De mon bureau, on dominait un paysage qui ressemblait à une illustration de Cruikshank pour *David Copperfield*, et le plancher s'était affaissé de telle façon que, grâce au jour sous les portes, nous n'avions pas besoin d'interphone.

C'était Dawlish qui était mon supérieur. Lorsque je lui apportai mon rapport sur les négociations de Marrakech, il le posa sur son bureau aussi solennellement que s'il s'agissait de la première pierre d'un monument d'intérêt national.

— Le Foreign Office, dit-il, est désireux de faire quelques suggestions sur la façon de conduire les négociations avec le parti révolutionnaire portugais.

— Vous voulez dire, sur la façon dont *nous* devrons conduire ces négociations.

— Bravo, mon vieux, vous avez tout de suite saisi ce qu'ils veulent.

— Je suis déjà tout couvert des cicatrices que m'ont values les bonnes idées d'O'Brien.

— Celle-là est plutôt meilleure que les autres, dit Dawlish.

13

Dawlish était le type même du haut fonctionnaire britannique. Il était grand, grisonnant, et avait des yeux qui faisaient penser à l'extrémité lumineuse d'un long tunnel. Il s'efforçait toujours de donner satisfaction aux autres services gouvernementaux quand ils nous demandaient quelque chose. Moi, j'envisageais les choses du point de vue des hommes qui auraient à exécuter le travail. Mais Dawlish était mon supérieur.

Sur le petit bureau, de style ancien, que Dawlish avait apporté lorsqu'il avait pris la direction du WOOC (P), reposait un dossier terriblement administratif d'aspect. Il le feuilleta rapidement :

— Ce mouvement révolutionnaire portugais… dit-il, et il s'interrompit.

— *Vos nao vedes,* lui soufflai-je.

— C'est ça. VNV, ça veut dire : « Ils ne voient pas », n'est-ce pas ?

— Non. « Vos » veut dire « Vous ». Donc : « Vous ne voyez pas. »

— C'est juste, dit Dawlish. Ce VNV veut que le Foreign Office lui verse une somme globale à l'avance.

— Oui, dis-je. C'est en général la condition dont on fait précéder les facilités de paiement.

Dawlish riposta :

— Imaginez que nous puissions le faire sans rien débourser.

Je ne répondis pas. Il poursuivit :

— Au large des côtes portugaises se trouve un bateau plein d'argent. C'est de la fameuse monnaie fabriquée par les nazis pendant la guerre. Des billets anglais et américains.

Je suggérai :

— Et ils veulent faire don aux gars du VNV de l'argent du bateau coulé pour financer leur révolution.

— Ce n'est pas tout à fait ça, dit Dawlish. (Il remua les cendres encore chaudes de sa pipe avec une allumette.) Il faudrait que nous, nous récupérions cet argent pour le leur remettre, expliqua-t-il.

— Ce n'est pas possible ! m'exclamai-je. J'espère que vous n'avez pas consenti à ça ? À quoi servirait le *Foreign Office Intelligence Unit* ?

— Il y a des moments où je me le demande, admit Dawlish. Mais je suppose que le Foreign Office a sa ration de problèmes.

— Ne m'en parlez pas, dis-je, ou je vais fondre en larmes.

Dawlish hocha la tête, retira ses lunettes, et essuya ses yeux aux cernes sombres avec un mouchoir fraîchement amidonné. Derrière lui, sur le rebord de la fenêtre, le soleil jouait sur des documents poussiéreux, qui se recroquevillaient en prenant des teintes de biscottes au gingembre. Dans la rue, en dessous de nous, un automobiliste protestait, avec un klaxon à deux tons, contre la façon dont était réglementée la circulation des véhicules à moteur.

— Le VNV affirme qu'un bateau a été coulé au large des côtes du Portugal.

Dawlish ne pouvait jamais rien expliquer sans faire un dessin. Avec son stylomine en or, il traça la forme stylisée d'un minuscule bateau sur son bloc-notes. C'était une unité de la marine allemande qui se rendait en Amérique du Sud en mars 1945. Elle transportait une cargaison importante d'excellente fausse monnaie, en coupures de cinq livres et de cinquante dollars. Il s'y ajoutait d'authentiques devises suédoises. Cet argent était destiné à des nazis de haut rang préparant leur exil.

Je ne dis rien. Dawlish s'essuya de nouveau les yeux. Dehors, les voitures avaient redémarré.

— Le VNV souhaite que nous l'aidions à récupérer cette cargaison. Entendez : que nous la lui livrions à domicile. Le Foreign Office y voit un moyen de soutenir ce qu'il croit être une évolution politique inévitable sans nous compromettre trop ouvertement, et sans dépenser d'argent. Avez-vous des commentaires à faire ?

— Vous voulez dire que les révolutionnaires portugais pourront utiliser les faux dollars et les authentiques devises suédoises pour acheter des armes et, d'une façon générale, financer leur coup d'État, mais qu'ils ne pourront pas se servir de l'argent anglais parce que les billets sont d'un modèle périmé.

— C'est tout à fait ça, dit Dawlish.

— Je suis un homme cynique, dis-je. Est-ce par les services historiques de l'Amirauté que vous avez été informé du nom du bateau, de la position de l'épave et de la nature de la cargaison ?

— Pas encore, dit Dawlish. Mais on m'a confirmé qu'il y avait eu pas mal de faux billets de cinq livres dans cette région, qui pourraient provenir d'une épave. Le VNV a parlé d'un pêcheur qui affirme l'avoir repérée.

— Deuxième objection, continuai-je. On veut que nous montions une opération subversive au Portugal qui, à quelque point de vue qu'on se place, vit sous un régime de dictature. C'est déjà une situation délicate. Et cette opération, nous allons l'exécuter avec la collaboration, ou pour le compte, d'un groupe de citoyens portugais dont le but avoué est de renverser le gouvernement. Et vous prétendez que tout cela mettra la Grande-Bretagne dans une situation moins embarrassante qu'elle ne le serait en leur ouvrant discrètement un compte bancaire ?

Dawlish fit la grimace.

— Bon ! conclus-je, ne nous embarrassons pas de circonvolutions. Il s'agit d'économiser de l'argent au prix d'un risque considérable, à courir par nous.

Dawlish dit patiemment :

— Vous vous rendez compte sûrement que ces billets de cinq livres périmés ne peuvent plus être écoulés, alors que le modèle des billets américains n'a pas varié.

— Oh ! j'imagine fort bien ce qui se passe dans l'esprit astucieux de notre PST[1]. Il va, croit-il, pouvoir mijoter une révolution en obligeant les Américains à la financer, parce que le monde regorge de faux dollars. Mais il se trompe.

Dawlish releva vivement la tête, et tapota du bout de son crayon son agenda. Le klaxon à deux tons avait maintenant atteint Oxford Street.

— Qu'est-ce qui vous fait penser cela ?

— J'en suis sûr. Ces Portugais sont des malins. Ils connaissent leur monde. Ils se débrouilleront pour écouler les fausses livres sterling, et il n'y aura plus, au ministère des Finances, que jaunisses et mémorandums.

Nous demeurâmes quelques minutes silencieux, pendant que Dawlish dessinait une mer houleuse par-dessus son bateau. Il pivota sur son fauteuil et regarda par les misérables fenêtres, fit une lippe, et

---

1. Permanent Secretary of the Treasury.

tapota sa lèvre inférieure avec son crayon. Il marqua ce silence de quatre hum! avant de parler.

— Il y a six mois, dit-il en me tournant le dos, O'Brien m'a dit qu'il connaissait plus de cent experts en devises. Sept, prétendait-il, étaient capables de réaliser n'importe quel transfert d'argent. Mais lorsqu'il s'agissait de transférer et de changer de l'argent illégalement, a-t-il ajouté, vous êtes le seul homme qualifié.

— J'en suis flatté, fis-je.

— Cela se peut, dit Dawlish avec une certaine réticence, car un talent illégal lui paraissait une qualité contestable. Néanmoins, le ministère des Finances reconsidérera peut-être son idée si l'on y apprend que vous doutez de sa réussite.

— N'y comptez pas trop, ripostai-je. Quel secrétaire d'État aux Finances laisserait échapper l'occasion d'économiser un million de livres? Il est probablement déjà en train de choisir ses armoiries en prévision de son anoblissement.

J'avais raison. Dix jours plus tard, je reçus une lettre m'invitant à me présenter au Centre d'instruction de la Marine royale, section de plongée, groupe d'entraînement n° 549, à l'arsenal de Vernon. Le secrétaire d'État aux Finances allait décrocher un titre de comte, et moi, un brevet de plongeur de l'Amirauté. Lorsque je me plaignis à Dawlish, il riposta:

— Mais vous êtes l'homme le plus qualifié pour cette mission, mon vieux. (Il inscrivit le chiffre 1 sur son bloc-notes, et dit:) Premièrement, vous avez vécu à Lisbonne en 1940, et vous parlez un peu la langue. Deuxièmement (il inscrivit 2:) Vous êtes un expert en devises. Troisièmement (il inscrivit 3:) C'est vous qui avez pris contact avec les représentants du VNV au Maroc le mois dernier.

— Mais est-ce une raison pour me faire subir un entraînement d'homme-grenouille, protestai-je ? L'eau sera froide, et je vous parie que les séances ont lieu à l'aube.

— La sensation de bien-être physique est uniquement une affaire de moral, mon cher. Cela vous mettra en pleine forme, vous verrez. D'ailleurs (et Dawlish se pencha vers moi d'un air confidentiel), vous êtes responsable de l'opération, et vous ne voudriez pas qu'on vous barbote une partie du butin sous l'eau.

Puis il émit un son polyphonique curieux, qui commença sur un diapason aigu, et se termina par une vibration du palais et un nuage de cendres de tabac éparpillé dans toute la pièce. Je le regardai, incrédule : Dawlish venait de rire.

3

Il y a un point, sur l'A3, près de Cosham, d'où l'on aperçoit soudain la totalité de la rade de Portsmouth. Cette étendue d'eau à l'intérieur des terres forme un triangle gris dont la pointe est tournée vers le Solent. Elle est bordée d'une succession de docks, de jetées, de cales, dont les contours aigus, dentelés, enserrent l'eau incolore.

Une bruine pénétrante suintait du ciel bas depuis que j'avais emprunté l'A3 à Kingston Vale, vers 6 h 45 du matin. Je traversai la foule des ouvriers d'usine et des dockers, et je pénétrai sous le portail de brique de l'arsenal de Vernon, où je garai ma voiture. Un matelot en ciré noir luisant montait la garde sous la pluie. Une demi-douzaine de marins, en imperméables flasques, ruisselant de pluie, étaient blottis sous le portail, mains dans les poches. Du fragile Tannoy parvint un message à l'adresse de la sentinelle. Je frappai à la porte.

Un jeune matelot, délaissant un instant les pièces détachées d'une sonnette de bicyclette qui étaient étalées devant lui sur la table, releva la tête :

— Vous désirez ?
— La section de plongée, s'il vous plaît ?
— Groupe d'entraînement n° 549 ?
— Oui, dis-je.

Il regarda d'un air sceptique mon imperméable de civil. Du Tannoy vint le tintement de cloche marquant le début du dernier quart de la matinée. Un grand escogriffe décoré d'un galon échangea une gauloise contre une demi-tasse de thé presque noir, et je me réchauffai les mains autour du métal émaillé. J'avais prévu que l'entraînement aurait lieu à l'aube, et il en fut effectivement ainsi pendant toute une semaine.

4

À Horndean, je roulai derrière une série de gros camions qui m'asphyxièrent de leur gaz d'échappement. Puis à Hindhead, ce fut une violente averse, qui laissa l'herbe aussi verte que de la crème de menthe. Le soleil se mettait à briller lorsque j'arrivai à la déviation de Guildford. Je surveillai ce qui se passait dans mon rétroviseur, et je réglai ma radio sur France III.

Je traversai Putney Bridge et je m'engageai dans Kings Road. Tout y était luisant, clinquant et froid. Il y avait des hommes chauves avec des pull-overs à col roulé, des filles aux coiffures crêpées, monumentales, vêtues de pantalons qui ne laissaient plus rien à l'imagination. J'obliquai à gauche, montant Beaufort Street, je passai devant le cinéma Le Forum, et je poursuivis mon chemin vers Gloucester Road. Lorsque j'obliquai de nouveau à gauche, vers Cromwell Road, je n'eus plus aucun doute : l'Anglia noire me suivait.

J'obliquai de nouveau, et je m'arrêtai auprès de la cabine téléphonique du coin. L'Anglia me dépassa lentement tandis que je cherchais une pièce de monnaie. Je la surveillais du coin de l'œil, et je la vis s'arrêter à soixante-dix mètres environ dans la rue à voie unique. Je retournai vivement vers ma

22

voiture, et, en marche arrière, je repris Cromwell Road. L'Anglia noire, elle, était prisonnière d'une voie à sens unique. Bonne occasion de savoir si l'adversaire était débrouillard.

Je passai devant une rangée de maisons victoriennes derrière la façade desquelles des studios chichement meublés affectaient de faux airs de grandeur impériale masquant mal leur indigente et solitaire médiocrité.

Je m'arrêtai. Je pris sous le siège avant la paire de jumelles que j'y gardais en permanence. Je l'enveloppai dans un numéro du *Statesman*, je fermai la voiture, et je me dirigeai vers l'appartement de Jane. Le numéro 23 avait des rideaux couleur pêche et consistait en un labyrinthe de corridors où le vent circulait librement sous les portes mal ajustées. Je tournai la clef dans la serrure.

Un radiateur à soufflerie bourdonnait en arrière-plan pendant que Jane s'affairait dans la cuisine, préparant le café. Je la regardais faire, du seuil de la porte. Elle portait une robe de laine d'un marron foncé s'harmonisant avec sa peau encore bronzée et ses cheveux, qui lui tombaient sur le front, dorés comme au soleil de l'été. Elle leva les yeux : ils étaient calmes, clairs, aussi paisibles qu'une journée de vacances.

— Alors, tu as réorganisé la Marine ? demanda-t-elle.

— À t'entendre, on croirait que je suis un homme pratique.

— Et tu ne l'es pas, n'est-ce pas ?

Elle versa le café dans une cafetière en faïence d'art :

— Tu as été suivi, tu sais.

23

— Je ne le crois pas, fis-je tranquillement.

— Ne fais pas cela, dit Jane.

— Quoi donc ?

— Tu le sais très bien. Quand tu prends ce ton à la Oreste Pinto, c'est pour inciter les autres à en dire davantage.

— Bon, bon, calme-toi.

— Tu n'as pas besoin de me raconter…

— J'ai été suivi par une Anglia noire, immatriculée BGT 803, peut-être depuis Portsmouth, à coup sûr depuis Hindhead. Je n'ai pas la moindre idée de l'identité du conducteur. Cela pourrait être la société Electrolux.

— Tu n'as qu'à les payer, riposta Jane. (Elle se tenait à bonne distance de la fenêtre et regardait dans la rue.) En fait, ils pourraient représenter une marque de réfrigérateurs. L'un d'entre eux est armé d'une pince à glace.

— Très drôle !

— Tu as beaucoup d'amis. Les gentlemen de l'autre côté de la rue sont venus dans une Bristol 407 couleur azur. Elle n'est pas mal du tout.

— Tu plaisantes, bien sûr ?

— Viens voir, enfant de Neptune.

J'allai à la fenêtre, et je vis effectivement une Bristol 407, d'un bleu éclatant, suffisamment boueuse pour avoir roulé très vite au long de l'A3. Elle était plutôt voyante au milieu de la file mortuaire de voitures noires garées au long du trottoir. À côté d'elle, son conducteur, un homme grand, en casquette plate et pardessus court à carreaux bariolés, avait l'air d'un riche bookmaker. Je réglai la Zeiss et j'étudiai attentivement la voiture et les deux hommes.

— À en juger par les signes extérieurs de richesse, ils ne travaillent pour aucun des services connus de nous. Une Bristol 407, rien que ça !

— Serais-tu envieux ? remarqua Jane, prenant les jumelles et regardant à son tour les deux hommes.

— Indéniablement, ripostai-je.

— Mais tu n'accepterais pas de te joindre aux ennemis de la Démocratie et de menacer l'existence de la liberté et du capitalisme occidental pour une Bristol 407, j'espère ?

— De quelle couleur ?

Jane regardait par la fenêtre étroite et haute.

— Ils remontent en voiture. Ils vont se garer devant le 26.

Elle se tourna vers moi :

— Penses-tu qu'ils soient de la Section spéciale ?

Non. Il n'y a que les détectives du West End qui aient de grosses voitures.

— Penses-tu que ce soient des amis[1] ?

— Non. Un pardessus comme ça ne franchirait pas les portes du ministère des Affaires étrangères.

Jane posa les jumelles, et versa le café en silence.

— Continue, dis-je. Il y a encore beaucoup d'autres services de sécurité.

Jane me tendit la grande tasse de café noir. Je le humai.

— Hmm, mélange continental.

— Tu aimes le mélange continental, non ?

— Quelquefois seulement.

— Qu'est-ce que tu vas faire ?

— Moi ? Le boire.

— Je veux dire : à propos de ces hommes.

---

1. Des agents du MI5.

— Essayez de savoir qui ils sont.

— Et comment cela ?

— Eh bien, je vais monter au dernier étage, marcher au long des gouttières, découvrir une lucarne, et redescendre par l'autre maison. Toi, entre-temps, tu vas mettre mon manteau et te promener devant cette fenêtre afin qu'ils croient que je suis toujours ici. Après un temps donné, disons vingt minutes, tu descendras, et tu mettras en route le moteur de la Volkswagen. Il faudra qu'ils dégagent la Bristol de la file afin de pouvoir suivre ma voiture avant qu'elle ne disparaisse. Tu me suis ?

Jane dit « oui » avec hésitation, d'un air dubitatif.

— À ce moment-là, je serai, moi, arrivé sous le porche, disons du n° 29. Quand ils mettront leur moteur en route, je prendrai une pomme de terre, que j'aurai eu la précaution de pêcher au passage dans ton panier à légumes, et traversant la rue, plié en deux pour ne pas me faire remarquer, j'introduirai cette pomme de terre crue, non pelée, dans leur pot d'échappement et je l'y maintiendrai. Il suffira de quelques minutes pour que la pression devienne suffisante pour faire éclater la culasse, dans un fracas terrifiant.

Jane riait.

— Leur voiture de luxe sera dès lors inutilisable, et comme ils ne trouveront pas de taxi à cette heure à la station de Gloucester Road, ils seront obligés de me demander l'hospitalité de ma Volkswagen, dont le chauffage à ce moment-là aura fonctionné suffisamment longtemps pour qu'elle soit confortable. En les conduisant à l'endroit où ils souhaiteront aller, je leur dirai – sur un ton parfaitement détaché, bien sûr : « Par quel concours de circonstances des jeunes gens

26

comme vous sont-ils venus se perdre dans ce quartier désert un samedi après-midi ? » Et de fil en aiguille, je découvrirai pour qui ils travaillent.

Jane dit :

— Le Dépôt naval ne te réussit pas.

Je fis le numéro de notre central téléphonique « Fantôme », et le standard me répondit. Main sur le microphone, je demandai à Jane :

— Quel est le mot de passe pour la semaine ?

— Tu serais dans de beaux draps si tu ne m'avais pas, cria-t-elle de la cuisine.

— Ne sois pas injuste, cela fait une semaine que je n'ai pas mis les pieds au bureau.

— C'est : chéri.

— Chéri, dis-je au standardiste, qui me mit en communication avec l'officier de garde du WOOC (P), « Tinkle » Bell.

— Tinkle, dis-je, chéri.

— Oui, me répondit-il, et j'entendis le déclic de l'enregistreur automatique qui se mettait en route. Vas-y.

— Je suis filé. Y a-t-il quelque chose sur les mémorandums hebdomadaires ?

C'étaient des informations provenant du service central de sécurité du ministère de la Défense. J'entendis les grosses chaussures de Tinkle traverser la pièce.

— Absolument rien, mon vieux.

— Veux-tu me rendre un service ?

— Tout ce que tu voudras.

— Il y a quelqu'un pour te remplacer si tu allais rapidement pour moi à Storey's Gate ?

— Mais certainement.

— Merci, Tinkle. Je ne te dérangerais pas un samedi si ce n'était pas important.

— Je m'en doute, vieux.

— Monte au troisième étage et demande Mme Welch, c'est ça w-e-l-c-h, et dis-lui que tu veux un des dossiers du C-SICH[1]. N'importe lequel, mais, de préférence, quelque chose que nous avons déjà. Tu me suis ?

— Pas très bien.

— Si tu lui demandes un dossier que nous avons déjà, elle te le dira, et tu protesteras que ce n'est pas vrai. Elle te montrera le livre de reçus. Si elle ne te le propose pas spontanément, fais un esclandre et exige de le voir. Regarde les signatures sur la colonne de droite. Ce que je veux savoir, c'est le nom de la personne qui a reçu le dossier 20 WOOC (P) 287.

— Mais c'est un de nos dossiers à nous, dit Tinkle.

— Le mien, plus exactement, dis-je. Si je sais qui l'a eu en main dernièrement, je saurai peut-être qui est en train de me filer.

— Très astucieux, dit Tinkle.

— Et, Tinkle, je voudrais que tu me trouves les propriétaires de deux voitures, une Anglia noire et une Bristol 407.

Je lui donnai les numéros d'immatriculation et les lui fis répéter.

---

1.   Combined Services Information Clearing House. Fait partie de la Joint Intelligence Agency du ministère de la Défense. Centre de triage de toutes les informations des services secrets de la Grande-Bretagne et du Commonwealth. Les organisations commerciales (qui ont pour but de voler les secrets des concurrents tout en préservant ceux de l'employeur) constituent une bonne part des archives.

— Merci, Tinkle. Téléphone-moi chez Jane.

— Sans faute, promit Tinkle.

Jane me versa une troisième tasse de café, et m'offrit des crêpes avec de la crème et du sucre.

— N'est-ce pas un peu imprudent, une conversation pareille sur une ligne privée ? Je veux dire, parler du C-SICH en donnant des numéros de dossier.

— Si c'est une personne qui n'est pas du métier qui écoute, elle n'y comprendra rien. Si elle comprend, c'est que c'est un espion soviétique.

— Pendant que tu étais au téléphone, l'Anglia noire est arrivée.

J'allai à la fenêtre. Quatre hommes étaient en conversation, plus loin, dans la rue. Bientôt deux d'entre eux remontèrent dans la Bristol et s'en allèrent. Mais l'Anglia ne bougea pas.

Jane et moi passâmes un samedi après-midi tranquille. Elle se lava la tête, et je fis du café à plusieurs reprises, tout en lisant un vieux numéro de l'*Observer*. Une voix à la télévision était en train de déclarer : « une troupe d'Algonquins sur le sentier de la guerre n'utiliserait pas une flèche empoisonnée, ma chère Betsy »... lorsque le téléphone sonna.

— C'était le directeur de l'Intelligence navale, dis-je avant que Tinkle ait pu parler.

— Ça alors ! s'exclama-t-il. Comment le sais-tu ?

— Je pensais bien que l'Intelligence navale prendrait ses renseignements avant d'ouvrir à un civil l'accès de son centre d'entraînement.

Tinkle dit :

— Mes compliments tout de même. Le Central Register et le C-SICH ont tous les deux communiqué ton dossier à l'Intelligence navale le 1er septembre.

— Et les voitures, Tinkle ?

— L'Anglia appartient à un nommé Butcher, initiales I H et la Bristol à un ministre nommé Smith. Tu connais ?

— J'ai déjà entendu ces noms-là. Peut-être pourrais-tu me faire un rapport S6 sur l'un et l'autre, et le laisser dans le casier « intérieur » fermé à clef ?

— D'accord, dit Tinkle, et il raccrocha.

— Qu'a-t-il dit ? demanda Jane.

— Que je me promène au milieu d'un champ de tir en plein midi.

Jane grogna, et continua à se peindre les ongles en un orange flamboyant.

J'expliquai enfin :

— Les voitures appartiennent à un ministre du nom d'Henry Smith, et à un homme de main du nom de Butcher, qui travaille au rabais dans l'espionnage commercial, en pratiquant le système de la secrétaire séduite.

— Quel joli système, remarqua Jane.

— Tu n'as pas vu Butcher, ripostai-je. À propos, mon dossier a été envoyé au DNI le 1er septembre.

— Butcher, murmura Jane, Butcher… Ça me rappelle quelque chose.

Elle peignit un autre ongle. Soudain elle s'exclama :

— J'y suis ! Le rapport sur le système pour faire fondre la glace.

Elle avait une mémoire prodigieuse. Butcher nous avait vendu un vieux rapport d'un laboratoire allemand concernant une machine à faire fondre la glace à une vitesse stupéfiante.

— Que contenait ce rapport, t'en souviens-tu ? demandai-je.

— J'ai eu du mal à comprendre ce dont il s'agissait, répondit-elle. Je crois qu'en gros il était question d'une modification de la structure moléculaire qui transformait instantanément la glace en eau. Ou vice versa. C'est quelque chose qui devrait intéresser la Marine, maintenant qu'elle a des sous-marins porte-missiles, qui doivent faire un trou dans la banquise avant de pouvoir s'en servir.

Elle tint ses mains à bout de bras, et examina pendant une minute ses ongles orange.

— Oui, dis-je, c'était Butcher qui était en possession de ce rapport. La Marine le veut… voilà l'explication. Je suis un génie.

— Et pourquoi cela ? demanda Jane.

— Pour m'être trouvé une secrétaire comme toi, dis-je.

Jane m'envoya un baiser du bout des doigts.

— Que fais-tu de M. Smith, le ministre ?

— Quelqu'un lui aura emprunté sa voiture, dis-je.

Mais l'explication ne me satisfaisait pas complètement. Je regardai Jane, et j'éteignis ma cigarette.

— Mes ongles ne sont pas encore secs, dit-elle. Il ne faut pas.

5

Mes deux semaines à Portsmouth s'écoulèrent rapidement. Je revins chez moi nanti d'un petit diplôme de l'Amirauté pour la plongée libre tout juste bon à faire encadrer, et avec un début de pneumonie. Jane prétendit que ce n'était qu'un mal de gorge, mais je dus passer tout le lundi au lit. Le mardi était un jour ensoleillé et froid de septembre, qui annonçait le prochain assaut de l'hiver.

Une lettre de l'Amirauté me parvint, qui m'autorisait à prendre possession de mon équipement de plongée sous-marine du centre d'entraînement, en me priant de bien vouloir régler la facture ! Je trouvai au même courrier un mémoire pour la réparation du réfrigérateur, et un ultimatum concernant le paiement de mes taxes communales. En me rasant, je me coupai le menton, qui n'en finit pas de saigner. Je changeai de chemise, et en arrivant à Charlotte Street, je trouvai Dawlish en proie à une colère froide parce que je l'avais mis en retard pour la conférence des directeurs des services secrets qui se tenait au CIGS le premier mardi de chaque mois.

La journée s'annonçait mal, et elle venait à peine de commencer. Dawlish passa en revue tous les détails de routine qu'entraînait ma nouvelle mission :

les codes de radio, et les priorités pour communiquer avec lui.

— J'ai réussi à les convaincre de vous donner un rang équivalent à celui de sous-secrétaire permanent, donc, montrez-vous digne de cette faveur. Cela peut être utile si vous devez entrer en rapport avec Macafee[1] à l'ambassade de Lisbonne. Vous vous souvenez sans doute qu'après l'affaire de l'année dernière, ils avaient déclaré qu'ils ne nous accorderaient jamais plus de privilèges dépassant ceux d'un secrétaire adjoint.

— Le bel avantage, dis-je, jetant un coup d'œil aux papiers qui se trouvaient sur son bureau : on me bombarde sous-secrétaire permanent, et on me fait voyager en classe « touristes ».

— Il n'y avait pas de place sur les autres avions. Ne soyez pas snob. Nous ne pouvons tout de même pas exiger qu'un malheureux contribuable vous cède sa place. Gibraltar se croirait obligé d'envoyer une garde d'honneur pour vous accueillir à la descente de l'avion.

— Bon, bon, dis-je, mais vous n'avez pas besoin de traiter tout cela comme une bonne plaisanterie.

Dawlish tourna la page suivante, marquée « équipement ». Avant qu'il puisse poursuivre sa lecture, je l'interrompis :

— Encore un détail : ils m'ont facturé pour deux mille livres d'équipement à mon nom personnel.

— Le service de sécurité, mon ami, n'a pas envie de mettre ces intrigants de l'Amirauté au courant de tous nos petits secrets.

Je secouai la tête :

---

1.   Colonel J. L. A. Macafee, directeur de l'Intelligence navale.

— En tout cas, j'ai besoin de votre signature pour me faire délivrer un pistolet à l'arsenal du ministère de la Guerre.

Il y eut un long silence, puis Dawlish cligna des yeux.

— Un pistolet ? dit-il. Perdez-vous l'esprit ?

— Non, je retombe en enfance, ripostai-je.

— C'est bien ce que je pensais, approuva Dawlish. Ces joujoux sont vilains, bruyants et dangereux. Vous risqueriez de vous coincer le doigt dans la gâchette.

Je pris mon billet d'avion et l'inventaire de mon équipement sous-marin. Puis je me dirigeai vers la porte.

— Londres Ouest, à 9 h 40, dit-il. Essayez de finir le rapport Strutton avant de partir et…

Il enleva ses lunettes, qu'il essuya avec soin.

— Je sais que vous possédez un pistolet, bien que je sois censé l'ignorer. Soyez gentil, ne l'emportez pas avec vous.

— Aucun danger, dis-je. Je n'ai pas suffisamment d'argent pour payer les munitions.

J'achevai, ce jour-là, mon rapport sur le plan Strutton pour le gouvernement. Ce plan prévoyait l'organisation d'un nouveau réseau d'espionnage, dont les informations seraient centralisées à Londres. Tous ses membres devaient être des techniciens des télécommunications et des réparateurs travaillant dans les ambassades, ou les services des gouvernements étrangers. Cela signifiait qu'il fallait créer des centres de recrutement à l'étranger qui se spécialiseraient dans la recherche de ce genre d'agent. En plus de la description du principe, mon rapport devait donner les grandes lignes de son mode de fonctionnement, c'est-à-dire, décrire son organisation, le système de communications internes, les dispositions pour assurer la sécurité individuelle des agents en cas de défection ou de découverte de l'un d'entre eux, les boîtes à lettres, la police interne, et surtout – ce qui importait le plus aux yeux du gouvernement – le coût du projet.

Jane finit de taper le rapport vers 8 h 30. Je l'enfermai dans le coffre-fort affecté aux documents pour l'extérieur, je mis en marche le système d'alarme infrarouge dans l'éventualité d'un cambriolage, et je branchai le magnétophone spécial. Dans la pièce à côté se trouvait notre central téléphonique particulier : « Fantôme » fonctionnait de la même façon que le central « Federal » du gouvernement. Lorsque quelqu'un faisait un de nos numéros par erreur, il entendait pendant une minute et demie le signal « ligne occupée » avant le déclenchement de la sonnerie. Après cela, les standardistes de nuit vérifiaient l'identité du demandeur, et notre téléphone à nous sonnait. Cela avait beaucoup d'avantages. Je pouvais par exemple appeler un numéro par l'entremise de Fantôme de n'importe quel poste, et être mis en communication avec n'importe quel endroit du monde sans attirer l'attention.

Jane mit le ruban de la machine dans le coffre-fort. Nous dîmes bonsoir à George, le gardien de nuit, et je mis mon billet pour le BEA 062 dans ma poche.

Jane me parla du tapis qu'elle avait acheté pour son appartement, et me promit de préparer un bon dîner pour mon retour. Je lui recommandai de ne pas confier le rapport sur le plan Strutton à O'Brien, suggérant trois prétextes différents qu'elle pouvait lui donner, et je promis de lui acheter une veste en daim vert en Espagne, taille 36.

6

Le car de l'aéroport se fraya péniblement un chemin à travers les rues encombrées, sur lesquelles les lampes à arcs déversaient une clarté jaunâtre, jusqu'à Slough. Les passagers transis serraient leurs billets de cinq shillings dans leurs mains engourdies. Quelques-uns essayaient de lire leur journal dans l'éclairage parcimonieux du véhicule. Les automobilistes actionnaient leurs phares et secouaient la tête en nous dépassant, laissant derrière eux un sillage fantomatique d'écume blanche.

À l'aéroport, tout était fermé, et la moitié des lumières éteintes, pour économiser l'électricité, bien que les taxes d'aéroport fussent comprises dans le prix du billet. Une longue file de voyageurs avançait lentement le long du local des douanes pendant que des fonctionnaires de l'Immigration leur arrachaient leur passeport des mains avec une impartiale xénophobie. Dans la salle d'attente, une blonde, dont le mascara avait coulé, nous joua un petit air macabre en ne cessant de tapoter ses dents avec un crayon à bille, le temps que nous nous enfermions dans l'énorme et scintillante carcasse d'aluminium, comme des petits pois dans leur gousse.

Assis à l'avant, je remarquai un homme replet, en imperméable de plastique. Son visage rougeaud me parut familier, et j'essayai de me souvenir de l'endroit où je l'avais rencontré. Il protestait bruyamment contre le mauvais fonctionnement du système de climatisation.

L'aéroport, autour de nous, clignotait de lumières colorées et d'enseignes lumineuses évoquant un tableau de Klee. Dans la carlingue, les plus robustes des voyageurs s'étaient adjugé les sièges à côté des fenêtres, les sacs en papier étaient prêts en vue d'un éventuel mal de l'air, et le thermostat du chauffage réglé pour nous rôtir. Les démarreurs gémirent, les lumières dans la carlingue baissèrent de moitié, et les hélices se mirent à tourner. Les grands moteurs brassèrent l'air humide, et, avec un rugissement, nous emportèrent dans la nuit.

Le pilote automatique prit l'appareil en charge. La tasse en plastique blanc se mit à frémir et à danser sur le plateau fixé devant moi, crachant sa cuiller, également en plastique et les morceaux de sucre dans leur papier.

Je ne voyais que la nuque de l'homme replet. Il continuait à crier. J'essayai de me souvenir de toutes les personnes qui avaient été mêlées à l'affaire du dossier concernant la méthode pour faire fondre la glace, et je me demandai si Dawlish avait vérifié la liste des passagers.

Huit mille pieds. Au-dessous de nous, les artères de Weymouth, baignées d'une lumière verte, au milieu de la nuit, faisaient penser à une gigantesque radiographie. Puis il n'y eut plus que l'obscurité de la mer.

Des triangles minces de pain mouillé collaient lamentablement à l'assiette molle. J'en avalai un. Pour me récompenser, le steward me versa du café chaud avec un pot cabossé. Les constellations de lumières des villes se mêlaient aux glaçons d'étoiles pendant des cavernes du ciel.

Je sommeillai jusqu'à ce que, avec un *plonk, plonk*, notre train d'atterrissage touchât terre, tandis que les lumières de la carlingue s'allumaient toutes ensemble pour chasser le sommeil de nos yeux embrumés. Pendant que l'avion s'immobilisait avec un grondement sourd, des vacanciers anxieux cherchaient le chapeau de paille de l'année passée, et se dirigeaient à tâtons vers la porte.

— Bonsoir-et-merci, bonsoir-et-merci, bonsoir-et-merci, psalmodiait l'hôtesse, en donnant sa bénédiction à chaque passager.

L'homme replet se fraya un chemin jusqu'à moi au long de l'allée centrale :

— Numéro 24, dit-il triomphalement.

— Quoi ? demandai-je nerveusement.

— Vous êtes le numéro 24, proclama-t-il d'une voix sonore. Je n'oublie jamais un visage.

— Qui êtes-vous ? balbutiai-je.

Il sourit avec reproche :

— Vous le savez bien, hurla-t-il. Vous habitez l'appartement du 24. Je suis Charlie, votre laitier.

— Ah ! c'est vrai, dis-je d'une voix faible. (C'était le laitier qui avait un cheval sourd.) Eh bien ! bonnes vacances, Charlie. Je vous réglerai ce que je vous dois à votre retour.

— Les passagers des cars pour la Costa del Sol, clamaient les haut-parleurs.

Les agents des douanes et de l'Immigration, à moitié endormis, m'adressèrent un signe de tête machinal et apposèrent sur mon passeport le tampon portant la mention : 30 jours.

Je vis une silhouette carrée, massive, éminemment britannique, se frayer un passage à travers la foule des voyageurs pressés d'arriver à la Costa del Sol.

— Bienvenue à Gibraltar, me dit Joe Mac Intosh, notre agent en Espagne.

7

Joe Mac Intosh me conduisit jusqu'à l'un des logements réservés aux officiers mariés, au long d'Europa Road, au-delà de l'hôpital militaire. Il était 3 h 45 du matin. Les rues étaient presque vides. Deux marins vêtus de blanc titubaient vers les quais en vomissant, et un autre était assis au bord du trottoir, près du Queen's Hotel.

— Du sang, de la vomissure, et de l'alcool, dis-je à Joe. Cela devrait figurer sur les armes de la forteresse.

— On ne voit déjà que ça ailleurs, riposta-t-il avec humeur.

Lorsque nous eûmes pris un verre, Joe me promit de me donner, le lendemain, toutes les informations qu'il possédait. Je m'endormis.

Nous prîmes notre petit-déjeuner dans le mess, et l'eau n'était pas aussi salée qu'elle l'était dans mon souvenir. Joe me donna quelques détails intéressants.

— Nous entendons parler de cette fausse monnaie depuis plusieurs années, on dirait qu'elle est rejetée à la côte par la mer.

Je hochai la tête.

— J'ai fait une petite carte.

Joe prit son portefeuille et en sortit une page de cahier d'écolier. C'était un tracé hésitant de la partie

40

sud-ouest de la péninsule Ibérique. Le détroit se trouvait en bas à droite. Lisbonne, en haut à gauche. De petites croix avaient été faites à l'encre au long de la côte. Les cent kilomètres qui s'étendaient de Sagres, à l'extrémité sud-ouest, à Foro s'incurvaient, formant une vaste baie. Et c'était à l'intérieur de la courbe, comme des bulles qu'elle eût tenues prisonnières, que se trouvaient les marques de Joe.

Joe commença à me parler des dispositions qu'il avait prises.

— La ville la plus proche de l'épave est Albufeira, ici...

Joe n'avait pas beaucoup changé depuis que j'avais fait sa connaissance à Lisbonne, en 1942, où, lieutenant de l'Intelligence Service, grand, musclé, il m'avait servi d'assistant.

— Voilà une liste de tous les naufrages qui ont eu lieu entre Sagres, Huelva, et...

Entre 1941 et 1942 des douzaines de jeunes lieutenants de l'Intelligence Service venaient à Lisbonne et y dépensaient une semaine d'efforts frénétiques avec l'espoir de réduire l'Axe à merci. La plupart d'entre eux tombaient dans les pièges les plus grossiers que nous leur tendions par mesure de sécurité, ou se prenaient de querelle avec les Allemands à la terrasse des cafés. Les Allemands nous raflaient nos bleus, et nous leur rendions la pareille. Les vieux routiers, c'est-à-dire ceux qui avaient survécu pendant plus de trois mois, échangeaient des sourires sardoniques avec l'adversaire par-dessus des dés à coudre de café noir.

— ... en utilisant un homme-grenouille italien avec lequel j'ai déjà travaillé. C'est le meilleur homme-grenouille en Europe aujourd'hui. Si vous

vous arrêtez pendant une nuit dans la ville que je vous ai signalée, je lui téléphonerai pour qu'il vous y rejoigne. Le mot de passe est : conversation. Moi, je viendrai par une autre route.

— Joe, dis-je (par la fenêtre je voyais le mont Hacho sur le continent africain, juste de l'autre côté de l'eau claire et ensoleillée du détroit), que vous a-t-on dit à propos de cette opération ?

Joe tira lentement un paquet de cigarettes de sa poche, il en prit une, et me tendit les autres.

— Non, merci, dis-je.

Il alluma sa cigarette, et rangea ses allumettes. Ses gestes étaient très lents, mais je savais par expérience que son esprit travaillait à la vitesse de l'éclair.

Il demanda :

— Vous connaissez la Wren plutôt rebondie qui…

— Je la connais, dis-je.

— Elle est secrétaire au chiffre, poursuivit Joe. Je bavardais avec elle l'autre jour lorsque j'ai remarqué un serre-papiers avec des copies de tous les messages que j'ai envoyés à Londres depuis deux mois. Ils portaient tous la mention BXJ dans un coin. Je n'avais jamais entendu parler de cette priorité, et je lui ai demandé ce dont il s'agissait. (Il tira sur sa cigarette.) Ils envoient toutes nos communications chiffrées à quelqu'un, à Londres, en vue de leur analyse.

Joe me regardait d'un air mi-plaisant, mi-sérieux.

— Mais à qui ? demandai-je.

— Elle n'est que la secrétaire. C'est l'officier de transmissions qui les fait parvenir à l'intéressé. Mais elle… (Il s'interrompit.)

— Poursuivez.

— Elle n'est pas sûre.

— Bon, et puis après ?

— Elle pense qu'ils sont adressés à quelqu'un à la Chambre des communes.

Je commandai deux autres cafés à la serveuse espagnole.

— Buvez, dis-je, et ne vous inquiétez pas. Il y a sûrement une explication simple.

Il m'adressa un sourire à la fois timide et malin :

— J'avais envie de vous le dire, mais cela paraissait tellement absurde.

Nous allâmes jusque chez Andalusian Cars, dans City Mill Lane, pour louer une Vauxhall Victor grise pour moi, et une Simca pour Joe. Il partit pour Albufeira, déclarant qu'il y serait avant le soir. Moi, j'avais diverses choses à faire à Gibraltar, et j'avais l'intention d'effectuer le voyage en deux étapes.

La ville était toujours aussi sordide que dans mon souvenir, qui datait de la guerre. Il y avait d'énormes bars qui ressemblaient à des casernes, depuis longtemps vidés de tout ce qui s'y trouvait de cassable, soit parce qu'on l'avait cassé, soit parce que le propriétaire l'avait mis en sécurité. On entendait des accordéons, des rires d'ivrognes, on voyait des MP à la nuque rouge malmener des soldats empâtés, et des épouses de militaires aux lèvres minces côtoyer des boutiquiers indiens rapaces au long des trottoirs inondés de soleil. Si l'on veut prendre plaisir à voir Gibraltar, m'avait dit un jour un médecin de la Marine, il ne faut pas descendre du bateau.

8

Mercredi matin

Au bout de High Street, à Gibraltar, se trouve l'Espagne. Des garde-frontières vêtus de gris saluaient les gens d'un signe de tête, s'assuraient qu'ils n'étaient pas en possession de transistors ni de montres, puis leur signifiaient en un autre signe de tête qu'ils pouvaient poursuivre leur route. Je roulai à travers cent mètres de no man's land, puis j'arrivai au second poste de contrôle. La route en lacets aboutit à Algésiras, et en regardant à travers la baie on voit la totalité de Gibraltar posée sur l'extrémité du continent comme un bout de vieux fromage sur le coin d'une table, des hauteurs d'où les singes contemplent l'aéroport, jusqu'au sud, où la Punta de Europa plonge dans la mer.

Après Algésiras, la route se met à grimper. D'abord, elle fut sèche comme un pain brûlé, mais bientôt, un nuage de vapeur s'éleva sous les roues, s'accumulant par paquets sur la route déserte. À ma gauche se dressait une falaise déchiquetée comme le bord d'une vieille boîte de conserve abandonnée par les touristes. Puis la route redescendit, suivant les plages vers le nord. Il était 15 heures. Le ciel était d'un bleu éclatant, et l'air chaud nettoya mes poumons du brouillard londonien.

Vivant de la circulation de l'autoroute de Séville, Los Palacios est un grand village, croissant d'une façon désordonnée, qui passerait pour une ville si la municipalité était assez riche pour faire paver les rues. De grandes guirlandes d'ampoules électriques sous-alimentées pendaient en travers des rues comme des chapelets d'yeux de poissons lorsque je m'y engageai, au crépuscule. Devant l'un des cafés, je vis une SEAT 1400. Le café avait pour enseigne El Desembarco, en lettres décharnées, peintes dans le renfoncement du porche. Je freinai doucement. Un grand camion Diesel klaxonna derrière moi tandis que je me rangeais au bord du trottoir. Le camion s'arrêta aussi, et le conducteur pénétra dans le café, suivi de son compagnon. Je fermai ma voiture, et j'imitai leur exemple.

Il y avait environ une trentaine de clients dans la salle, qui ressemblait à une énorme grange. Des jambons fumés pendaient aux murs, parmi des bouteilles et de larges glaces portant des inscriptions publicitaires en lettres dorées. Elles renvoyaient l'image curieusement penchée des consommateurs qui s'y reflétaient, tandis qu'une machine à café, rutilante de chrome, vibrait et crachait derrière le comptoir, dont le dessus noir et mat servait d'ardoise aux garçons qui y faisaient leurs additions. Ils avaient des visages blancs et moites, qui allaient et venaient entre les gigantesques tonneaux, parmi les nuages de fumée et le bourdonnement des conversations, ne s'arrêtant que le temps nécessaire pour tordre un tablier d'un geste de désespoir, ou crier des adjurations au personnel de la cuisine du ton plaintif, aigu, propre aux serveurs espagnols.

Je fis un effort pour rassembler mes connaissances d'espagnol.

— *Deme une vaso de cerveza*, demandai-je.

Le garçon m'apporta une bouteille de bière, un verre et un plat ovale contenant des crevettes délicieusement fraîches. Je lui demandai s'il y avait des chambres. Le garçon enleva son tablier blanc et le suspendit sous un calendrier représentant Jayne Mansfield. J'évitai soigneusement de regarder quel produit il recommandait au consommateur. Le garçon me fit sortir par la porte de derrière. À ma droite, je vis la lueur du feu de la cuisine, tandis qu'une odeur âcre d'huile d'olive m'enveloppait. Il faisait presque nuit.

Nous traversâmes une cour sablée, recouverte en partie d'un treillis de bambou, d'où pendaient des lampes au néon à demi rouillées. Au long d'un des côtés de cette cour, il y avait un couloir vitré, menant à des chambres aussi minuscules et austères que des cellules. Je contournai une voiture d'enfant et un scooter pour pouvoir pénétrer dans la mienne. Elle contenait un lit de fer, avec des draps d'une blancheur immaculée, une table, et un placard pour le pot de chambre.

— *Veinte y cinco, precios fijos si v. gusta*, dit le garçon.

Un prix fixe de vingt-cinq pesetas me parut raisonnable. Je posai mon sac de voyage, j'offris une gauloise au garçon, et après avoir allumé sa cigarette et la mienne, je retournai dans l'atmosphère bruyante du restaurant.

Les garçons apportaient du vin, du café, du xérès, de la bière, aussi vite qu'ils le pouvaient, envoyant un jet de soda dans un verre à une distance de deux pieds, jonglant avec les petites assiettes de jambon fumé, de biscuits salés, de crevettes, éconduisant les ivrognes tout en servant les clients sobres. Les sons étaient répercutés par les solives et revenaient se mêler au tumulte de la salle.

J'absorbai la soupe de poisson et l'omelette, en attendant toujours que l'agent annoncé par Mac Intosh voulût bien se manifester. Je demandai à qui appartenait la voiture qui se trouvait à la porte du café. Elle appartenait au patron. Je commandai d'autres Tio Pepes, et je regardai le chauffeur du camion, qui avait klaxonné derrière moi, exécuter un tour de cartes. À 10 h 30, je sortis dans la rue. Trois hommes en bleus étaient assis par terre et buvaient à même une bouteille de vin. Deux enfants, pieds nus, jetaient des pierres contre le grand camion, et quelques hommes discutaient à voix basse de la valeur marchande d'un pneu de motocyclette usé.

J'ouvris la porte de ma voiture et je pris sous le tableau de bord mon Smith & Wesson à six coups. Il était retenu par des aimants. D'une secousse je le détachai de la carrosserie, je l'enveloppai dans les papiers de la voiture, et, après avoir refermé la portière à clef, je retournai dans ma chambre.

Je vis que l'allumette que j'avais posée sur mon sac de voyage n'avait pas bougé, mais avant de me coucher, j'ouvris le petit placard, et je mis mon revolver sous le pot de chambre.

9

Le soleil inondait d'une lumière brûlante la cour où je pris mon petit-déjeuner le jeudi matin. Des géraniums en pots bordaient les murs, et des volubilis roses grimpaient au long du toit de bambou. À demi masqué par le linge qui séchait, j'entrevoyais une grande affiche publicitaire de Coca-Cola fanée par le soleil, et le clocher, qui égrenait neuf heures, avait l'air d'un jouet à cette distance.

— Vous êtes un ami de M. Mac Intosh, n'est-ce pas ?

Je vis, debout au-delà de mon pot de café, un homme carré, musclé, d'environ un mètre soixante-cinq. Il avait une grosse tête, des cheveux sombres et bouclés, et il était suffisamment bronzé pour rendre encore plus éclatante la blancheur de son sourire. Il avait toujours les bras légèrement étendus, et ne cessait de tirer sur ses manchettes. Je vis ses doigts prestes passer devant un splendide mouchoir en soie verte et taper son front, d'un coup sec, audible :

— J'ai le message que votre ami m'a demandé de vous apporter en personne.

Il parlait d'une façon hachée, déroutante, et baissait à peine la voix à la fin des phrases, en sorte qu'elles demeuraient en suspens, et qu'on attendait leur conclusion.

— Conversion, dit-il.

Le mot de passe était « conversation ».

Il prit dans sa veste rayée un portefeuille de cuir aussi plat qu'une lame de rasoir, et en sortit une carte de visite. Il remit le portefeuille en place, rajusta sa chemise sombre et sa cravate argentée. Ses mains avaient des doigts courts, vigoureux, étrangement pâles. Il me tendit la carte du bout des ongles, soigneusement entretenus. Je lus :

S. Giorgio Olivettini

Inspections sous-marines

Milan

Venise

Je secouai la carte en hésitant, et il s'assit.

— Vous avez déjà déjeuné ? dis-je.

— Oui, je vous remercie, j'ai déjà consommé mon petit-déjeuner. Vous permettez ?

Le senhor Olivettini sortit un petit paquet de cigares. J'acquiesçai et je secouai la tête négativement aux moments appropriés. Il alluma un cigare et remit les autres dans sa poche.

— Conversation ! s'exclama-t-il soudain en m'adressant un sourire épanoui.

Il semblait bien que ce fût le passager que je devais conduire à Albufera.

J'allai dans ma chambre, je glissai mon pistolet dans la poche de mon pantalon, et, prenant mon sac de voyage, j'allai régler la note. Le senhor Olivettini m'attendait à côté de la Victor en polissant ses chaussures bicolores avec un grand chiffon jaune.

Pendant trente kilomètres, nous roulâmes en silence. Le senhor Olivettini fumait, tout en se limant les ongles d'un air satisfait.

Mon pistolet avait glissé et se trouvait sous ma cuisse. Il me gênait. Je ralentis.

— Vous avez décidé de vous arrêter, remarqua le senhor Olivettini.

— Je suis assis sur mon pistolet, dis-je.

Le senhor Olivettini sourit poliment.

— Je sais, répondit-il.

10

C'était bien Giorgio Olivettini, l'homme qui avait mis Gibraltar en état de panique pendant la guerre, alors qu'en tant qu'homme-grenouille italien il opérait à travers la baie d'Algésiras d'une base secrète établie à bord d'un vieux navire.

— Nous devons récupérer la cargaison d'un sous-marin, hein ? demanda Giorgio.

— Pas un sous-marin, dis-je doucement.

— Oh si ! dit Giorgio avec assurance. Votre M. Joe Mac Intosh m'a envoyé une carte d'échos de l'épave. C'est un sous-marin.

— Vous en êtes sûr ?

— Le MS 29 est un bon enregistreur d'échos. Je m'en suis déjà servi. Je vous le dis : c'est un grand, très grand, sous-marin. Vous verrez.

J'espérais à coup sûr y voir plus clair avec le temps. Après avoir reçu quelques notions élémentaires de plongée sous-marine, on m'envoyait récupérer de fausses devises alliées que les nazis avaient fabriquées pendant la guerre. Ces devises, je devais les remettre à des révolutionnaires portugais, afin de financer un putsch. Jusque-là, c'était presque simple. Mais pourquoi avais-je été filé par une Anglia et une Bristol ? Était-ce pour une raison sérieuse, ou pour me faire peur ?

Pourquoi ce Henry Smith, membre du gouvernement, était-il impliqué dans l'affaire ? L'était-il vraiment ? Ce Butcher, dont je savais qu'il avait travaillé pour Smith deux ans plus tôt, le faisait-il toujours encore aujourd'hui ? Tout cela avait-il un rapport avec le dossier nazi sur la méthode pour faire fondre la glace, que Butcher avait vendu à mon service ?

— Oui, dis-je, je verrai.

Devant nous, je distinguais les toits de Séville, dans le secteur de Séville confié à la Brigada MCVII.

Le Guadiana constitue la frontière entre l'Espagne et le Portugal. Ayamonte, une petite ville cubiste toute blanche, est située sur la rive espagnole.

J'empruntai une rue latérale, couverte de pavés ronds, jusqu'à la rivière, au flot lent, puis j'obliquai, remontant les quais parmi un amas de filets, de caisses d'emballage brisées, de bidons rouillés. Le senhor Olivettini sortit un passeport des Nations unies, et nous pénétrâmes dans le bâtiment vétuste des garde-frontières. Ils regardèrent nos passeports et y apposèrent leur tampon. Sur le mur, je vis une photographie d'officier en chemise sombre. Elle portait une signature à fioritures, datée de l'année précédant la guerre civile. Un douanier jeta un coup d'œil dans la voiture, et je m'inquiétai, à cause du revolver. C'est le genre d'incident qui exaspérerait Dawlish. Le garde fit une remarque à Giorgio, remonta son fusil qui avait glissé. Giorgio parla rapidement en espagnol, et le visage ridé du garde-frontière se plissa tandis qu'il riait bruyamment. Lorsque je les rejoignis, l'homme fumait un des cigares de Giorgio.

Je descendis le long de la jetée délabrée vers un bateau qui l'était davantage encore. Les amarres se tendirent sous le poids de la voiture, autour des bornes taillées à la main. L'eau s'écarta en clapotant. Le bateau glissa lourdement sur l'eau grisâtre et huileuse tandis que les bâtiments blancs de la rive s'éloignaient lentement. Pour débarquer la voiture sur la rive portugaise, nous eûmes une douzaine d'assistants, chacun criant des conseils en portugais. Je dis à Giorgio de descendre, et de s'assurer que les planches étroites étaient bien placées sous les roues. Je n'avais pas tellement envie d'apprendre la traduction portugaise d'«à côté». La voiture ne reposait pas à plat dans le bateau, et lorsque les roues arrière en émergèrent, une des planches vola comme un obus. J'embrayai et j'accélérai à fond. La voiture bondit en avant, et grimpa la rampe abrupte et ondulée, comme un bolide franchissant une planche à laver. J'attendis Giorgio. Il remonta la rampe en enlevant une poussière imaginaire de son impeccable pantalon. Il regarda par la portière, en faisant nerveusement tourner ses bagues en or. Il m'adressa un bref sourire, prit la serviette flambant neuf qu'il avait coincée sous son bras, et la remit dans la voiture. Je n'avais pas remarqué qu'il l'en avait retirée.

— Précieux, expliqua-t-il.

Le Portugal est un pays semi-tropical. Bien soigné, cultivé, géométrique. Il n'a rien de commun avec l'Espagne. On n'y aperçoit pas tous les quelques mètres des gardes civils à chapeau de cuir, brandissant un fusil bien graissé. La terre n'y est pas brûlée. C'est un pays subtil, et l'on ne voit nulle trace de Salazar sur les affiches et les timbres-poste.

— Et votre équipement ? demandai-je. Si vous allez inspecter ce sous-marin, pensez-vous pouvoir opérer à quarante mètres ?

— En ce qui concerne l'équipement, M. Mac Intosh l'apportera en bateau. En ce qui concerne la profondeur, je peux travailler à quarante mètres. J'utiliserai de l'air comprimé. C'est simple, je suis expert dans ce genre d'opération. Je pourrais aller jusqu'à soixante mètres.

L'Estrada Principal numéro 125 poursuit au-delà de Loule, vers l'ouest, la descente amorcée dès S. Braz. Une petite voiture de police klaxonna par deux fois derrière nous et nous dépassa. La route, au sud de l'embranchement, se termine dans le petit port de pêche d'Albufeira. Nous obliquâmes à gauche et dépassâmes l'usine de conserves.

Albufeira est une ville construite en terrasse. Les rues grimpent en pente abrupte la colline, et on entend constamment les voitures changer de vitesse. Les maisons, au sommet de la rampe, ont des arrière-cours creusées dans le sommet d'une falaise de quatre-vingts pieds.

Le numéro 12 de la Praca Miguel Bombarda était une des rares maisons à posséder un escalier privé menant vers la plage. Du large patio à l'arrière de la maison, on pouvait voir quelques centaines de mètres en direction de l'ouest, et de l'autre côté, deux kilomètres, jusqu'au cap Santa Maria, où se trouve le phare, dont on aperçoit le faisceau lumineux la nuit. De la façade aux petites fenêtres profondément encastrées dans la pierre épaisse, on domine un triangle de pavés ronds, délimité par un arbre tordu, et un réverbère tout droit. Lorsque je garai la voiture sous l'arbre, Joe Mac Intosh surgit sur le seuil de la porte. Le clocher sonnait neuf heures du soir, jeudi.

L'air nocturne collait son mufle humide à nos carreaux. Le sable et l'eau de l'océan se mêlaient en échanges interminables, et quelque part dans les profondeurs, au large de la côte, gisait l'épave qui nous avait attirés là.

11

Le vendredi matin, une vieille Citroën noire arriva de l'ambassade à Lisbonne. Elle était conduite par un jeune homme blond, bien découplé, en short long, et chemise en Aertex. Il frappa à la porte et j'allai ouvrir.

— Je suis le lieutenant Clive Singleton, attaché naval adjoint de l'ambassade de Grande-Bretagne à Lisbonne.

— Bon, bon, dis-je, pas la peine d'utiliser un porte-voix, je ne suis pas sourd. Quelle mouche les pique ?

— Mon message est destiné aux oreilles de votre commandant.

— Mon cher Errol Flynn, je suis mon propre commandant. Enchanté d'avoir fait votre connaissance. Maintenant, déguerpissez.

Je commençai à fermer la porte.

— Écoutez-moi, commandant, une seconde, cria-t-il à travers la fente, ses yeux bleus humides d'anxiété. C'est à propos du…

Il s'interrompit, et articula le mot « sous » d'une façon à peine audible. Maintenant, la porte était presque close. Il fit un effort désespéré :

— Il faut que vous récupériez le livre de bord.

— Entrez.

Je le fis pénétrer dans le hall dallé. Les fenêtres étaient voilées de deux épaisseurs de dentelle, mais il faisait assez clair pour que je pusse l'examiner en détail. Il devait avoir vingt-six ans, il était mince, nerveux, mesurait près d'un mètre quatre-vingts. Il portait des sandales de cuir, des socquettes bleues d'Austin Reed, une serviette noire avec un écusson. Le classique fils à papa frais émoulu de l'école.

— Bon. Maintenant que vous êtes entré, quel est votre message ?

Il parla très rapidement :

— On m'a détaché pour travailler avec vous, monsieur, en raison de mon expérience de la plongée sous-marine. J'ai apporté mon équipement. Il est dans la voiture.

— Je le vois, remarquai-je.

J'apercevais une jeune fille blonde assise dans la voiture.

— Oui, monsieur. (Il se passa la main dans les cheveux avec un sourire embarrassé.) C'est Charlotte Lucas-Mountford, la fille de l'amiral Lucas-Mountford.

Je ne dis rien.

— Londres nous avait dit d'envoyer quelqu'un qui ait l'expérience de la plongée sous-marine, et quelqu'un pour s'occuper de la maison. Charlotte parle couramment le portugais, et moi je…

Je fermai la porte, et du regard, je l'amenai à une sorte de garde-à-vous. Je sortis lentement une cigarette, et je m'abstins de lui tendre le paquet.

— Asseyez-vous, fiston, dis-je enfin. Asseyez-vous, et reprenez vos esprits. Vous vous êtes imaginé que vous alliez vous payer une pinte de bon temps, n'est-ce pas ?

— Je suis plongeur diplômé de la Marine royale. Vous aurez besoin d'un expert pour ce travail.

— Vraiment? Je ne sais pas ce que vous appelez un expert, mais l'homme que nous avons recruté a travaillé pendant quatre ans comme homme-grenouille pour les Italiens. Il a passé une fois une nuit entière dans l'obscurité au fond du port de Gibraltar, à réparer une bombe à retardement, pendant que la Marine jetait dans l'eau toutes les grenades qu'elle avait sous la main. Au matin, nos marins ont arrêté le bombardement, convaincus qu'il ne pouvait plus y avoir personne de vivant au fond de l'eau. Alors l'homme a nagé jusqu'au môle nord et a fixé une charge de cinq cents livres sous un pétrolier. Puis il est retourné à la nage à Algésiras. Cela se passait il y a vingt ans, alors que vous étiez tout juste sorti du berceau, et que vous économisiez vos tickets pour une barre de chocolat. Si vous voulez travailler pour nous, il n'y aura pas de demi-mesures par galanterie pour les femmes, et il faudra utiliser votre intelligence un peu mieux que vous ne l'avez fait jusqu'à présent. Pourquoi croyez-vous que Londres envoie ses messages en code à l'ambassade? On vous l'a confié pour qu'il ne soit pas intercepté, et vous l'avez crié sur les toits sans même vous assurer de mon identité.

Je ne lui laissai pas le temps de se justifier.

— Allez chercher votre équipement, dis-je.

Giorgio critiqua tranquillement le vert flamboyant de l'équipement sous-marin de Clive, mais il était en fin de compte plus professionnel que je ne l'avais pensé. Quant à Charlotte, c'était la première fois que je la voyais mais elle était de ces personnes qu'on n'oublie jamais plus. Néanmoins, elle prit la cuisine en charge avec une efficacité qui me surprit. Ils mouraient d'envie l'un et l'autre de faire leurs preuves.

Après le petit-déjeuner, nous nous consultâmes. Joe étala les cartes de l'Amirauté sur la table, et nous montra l'emplacement du sous-marin. Les cartes établies à l'aide de l'écho-sonde étaient des bouts de papiers électrolytiques d'environ sept pouces de large. À la base de chacun d'eux, on voyait une bande noire, inégale, représentant le fond de l'océan, et une autre bande plus mince, qui en était séparée par un blanc d'un quart-de-pouce. Cette bande plus mince représentait des poissons, ou les objets reposant sur le fond de l'océan. Sur l'une des cartes, on apercevait une forme distincte. J'étais prêt à accepter l'assurance que me donnaient les experts qu'elle ressemblait à celle d'un sous-marin.

D'après Singleton, l'Intelligence navale tenait beaucoup à récupérer le livre de bord du sous-marin, qui était d'un nouveau type, sur lequel elle avait très peu d'informations. Je demandai à Giorgio et à Joe s'ils croyaient cela réalisable.

Joe déclara :

— C'est facile à condition qu'ils ne l'aient pas envoyé par-dessus bord avant que le sous-marin ne coule.

— Vous savez où se trouve ce livre de bord ? Je peux demander à Londres des informations à ce sujet.

Giorgio dit :

— Je ne pense pas que ce soit nécessaire. J'ai quelque expérience de la vie à bord des sous-marins allemands.

Nous échangeâmes des sourires entendus.

— Et s'ils l'ont envoyé par-dessus bord ?

— Dans ce cas, riposta Giorgio, nos chances de le retrouver dépendent de deux facteurs. D'abord, dit-il en pinçant son index, de la distance parcourue par le bateau entre le moment où le journal a été jeté par-dessus bord et le moment où il a coulé. Ensuite, de la capacité de l'appareil Kelvin Hughes à détecter un aussi petit objet qui se sera probablement enfoncé dans la boue. Enfin (son anneau d'or étincela au soleil), de la force des courants sous-marins qui ont pu déplacer le bateau. Je la crois considérable.

Après cela, Giorgio interrogea Joe sur le mouvement des marées à la surface, sur les périodes étales, et ils discutèrent de la meilleure façon d'établir un tableau horaire de plongée pour tirer tout le parti possible des éléments favorables.

Charlotte apporta un grand pot de café et une assiette de figues, puis elle déclara :

— Lorsque j'aurai bu mon café, j'irai faire vos lits.

Pendant quelques instants, nous demeurâmes tous rêveurs.

Il eût été inutile d'amener le bateau sur les lieux si tard dans l'après-midi. J'ordonnai à mes compagnons de se reposer. Nous nous consulterions de nouveau le soir, et nous profiterions de la marée, le lendemain matin, pour effectuer une reconnaissance.

Dawlish avait très astucieusement compris que la meilleure façon d'empêcher quelqu'un de déserter était de lui confier la responsabilité de l'opération.

La mer, en ce vendredi après-midi, était calme. Charlotte était très succinctement vêtue d'un maillot de bain blanc. Elle applaudissait Giorgio qui se promenait sur les mains, et Singleton qui faisait des sauts de phoque dans l'eau. Je dis à Giorgio de l'emmener nager au large, et d'essayer de se rendre compte de son endurance.

— Emmenez-le à deux cent cinquante mètres environ, et revenez. Ne le pressez pas, mais ne lui permettez pas de traîner non plus.

— Compris, riposta Giorgio, en se dirigeant vers Singleton.

Je les regardai courir sur le sable doux et humide, où leurs empreintes s'agrandissaient, se fondant en d'énormes arabesques mariant le temps et l'espace. Puis Joe se mit à parler de l'écho-sonde.

— Je me suis procuré cette écho-sonde dès que nous avons entendu parler de cette mission, il y a trois, non, quatre semaines. Depuis, nous l'avons utilisée pour pêcher. Elle est terriblement efficace, et les pêcheurs ont envie d'en acheter pour leur propre usage.

— Et s'ils allaient nous suivre pour détecter les bancs de poissons?

— Non, j'ai débranché l'appareil hier, et j'ai dit au vieux d'annoncer partout qu'il était déréglé.

Il demeura un moment silencieux, cherchant des mots qui ne paraîtraient pas impertinents.

— Puis-je vous demander pourquoi Londres n'a pas entrepris cette opération officiellement avec la coopération des autorités locales?

— Parce que toute cette affaire est louche, Joe. À vrai dire, j'ai l'impression désagréable qu'on nous a envoyés ici pour servir d'appât à quelque tigre. Prenez par exemple ce message que Singleton a apporté concernant le livre de bord : ça ne tient pas debout. Le seul service qui s'intéresse encore aux sous-marins nazis est la section des archives de la Marine. Quel service de renseignement moderne

61

se préoccuperait d'obtenir des informations aussi dépassées ?

Je racontai à Joe comment j'avais été filé par deux voitures à Londres, dont l'une appartenait à Henry Smith, membre du gouvernement. Je lui parlai de Butcher, l'homme de main de Smith, qui nous avait vendu les documents concernant le système pour faire fondre la glace. Je lui dis que je pensais qu'il y avait un rapport entre toutes ces choses.

— Et ce Giorgio ? demandai-je. Pourquoi ce rendez-vous dans un endroit perdu tel que Los Palacios ?

— Il exécutait un travail sous l'eau à l'intérieur d'un gazomètre à Séville.

— Et où est son équipement ? ripostai-je.

— Il l'a laissé sur place. Il est sous contrat. C'est un type régulier. Nous l'avons contrôlé, et recontrôlé... Il y a en revanche un Américain dans ce village dont je ne suis pas sûr...

Au même moment, Giorgio et Singleton émergèrent de l'eau. Giorgio, bronzé, presque noir, avait l'air aussi détendu que s'il sortait de dessous sa douche. Il lissa les poils de son torse comme s'il avait encore sa cravate argentée autour du cou. Singleton avait la bouche ouverte et haletait, rejetant la tête en arrière, et passait la main dans ses longs cheveux blonds. Ils marchèrent lentement vers nous, puis attendirent nos compliments.

— Alors, Singleton, comment vous sentez-vous ?

Sa poitrine se soulevait en aspirations essoufflées :

— Parfaitement bien, monsieur. En pleine forme.

— Bon. Alors couvrez de nouveau la moitié de la distance, mais sous l'eau cette fois. Ne revenez à la surface que lorsque vous y êtes obligé. Autrement dit, je ne veux pas que vous vous trahissiez par un sillage d'écume et de bulles. Si quelque chose ne va pas, prévenez Giorgio aussitôt. Je n'ai pas besoin de héros morts. Je préfère un lâche vivant. Et, Giorgio, ouvrez l'œil.

Ils acquiescèrent tous les deux.

— Joe et moi retournons dans la maison, et nous vous regarderons de là-haut, en comptant le nombre de fois que vous reviendrez à la surface pour respirer. Ah! autre chose, Singleton : vous n'êtes pas à la parade, alors tâchez de prendre l'air d'un touriste britannique...

Ils retournèrent vers la mer.

— c'est-à-dire l'air minable, criai-je derrière eux.

— N'êtes-vous pas un peu dur avec Singleton ? me demanda Joe tandis que nous remontions l'escalier blanchi à la chaux vers le patio.

— Probablement, dis-je. Mais il me fait penser à un paon qui fait la roue.

Il y eut un moment de silence, puis Joe remarqua :

— Vous vous inquiétez peut-être à tort. Peut-être tout se passera-t-il conformément aux prévisions officielles.

12

Le jour suivant, l'Atlantique était vert et houleux.
De grandes vagues secouaient notre embarcation. Le
vieux pêcheur se servait des rames pour la maintenir
perpendiculaire à la plage tandis que Joe s'efforçait
de mettre en route le moteur hors-bord. Une nouvelle
vague nous souleva, hésita, puis nous précipita de
nouveau vers le sable. J'étais à la proue, et Joe en
dessous de moi dans le bateau profondément incliné.
Il fit un grand geste du bras, et j'entendis le cracho-
tement du moteur, comme un bruit de machine à
coudre. Avec un sillage d'écume, nous cinglâmes
vers le large sitôt que l'hélice battit l'eau.

Le pêcheur était un homme de quatre-vingts ans,
dont le visage ressemblait à un vieux marron. Il
m'adressa un sourire de ses dents gâtées lorsque
je l'aidai à remonter les rames dans le bateau, et
se précipita vers l'écho-sonde pour la remettre en
route. Giorgio et Singleton sortirent des paniers de
pique-nique, des sacs en polythène contenant leurs
combinaisons de caoutchouc et commencèrent à les
enfiler. Nous faisions cap vers l'ouest.

Je voyais la mer se briser contre les rochers jaunes
de la côte, en une longue frange d'écume blanche.
Chaque rocher avait ses dangers, et un nom : le
Château, le Porc, le Chien. Une longue succession de

strates verticales avait été baptisée la Bibliothèque. Au fur et à mesure que nous les dépassions, le vieil homme me les montrait du doigt en hurlant leur nom. Son doigt ressemblait à un cigare cassé. Je répétais les noms, et il me remerciait de son sourire jaunâtre. Les rochers les plus dangereux étaient ceux qui se trouvaient immergés à marée haute. Il y avait une grande pierre plate surnommée le Tartare, et deux monolithes aigus comme des lances, les Loups.

Je regardai l'écho-sonde. Elle cliquetait, traçant des arcs sur le papier, dessinant le fond de l'océan. Giorgio fumait un cheroot. Le vieil homme en fumait un aussi, et souriait tout en tiraillant le lobe de son oreille, ce qui était chez lui un geste de plaisir. Pour guider le bateau, il s'orientait à l'aide du sommet inégal de la montagne Plenha de Alte au nord, et du cap Santa Maria à l'est.

Joe regardait l'aiguille de l'écho-sonde, qui grinçait, et la boussole. Il cria quelque chose à Giorgio, qui haussa les épaules. Joe se dirigea vers moi, traversant la longueur du bateau, qui virait de 180 degrés.

— Nous l'avons dépassé, j'en ai peur, dit-il. Nous revenons en arrière. J'aurais pu mettre une bouée de signalisation hier, mais…

— Vous avez eu raison. Il vaut mieux être prudent.

Joe entendit une légère variation dans le bruit de l'écho-sonde, et la grande ancre rouillée à plusieurs becs, un luxe dans ce pays où les pêcheurs se servent encore de grosses pierres, fut jetée par-dessus le bord, dans un grand clapotement d'eau. Le vieil homme tenait la corde de l'ancre tandis qu'elle s'enfonçait dans l'épave, nous amarrant juste au-dessus. Giorgio ajusta sur son dos les bouteilles d'air comprimé. Je lui tapai sur le bras. Je sentis à travers la combinaison de caoutchouc des muscles durs comme de l'acier. Des taches de talc dont on s'était servi pour protéger la combinaison, accentuaient son aspect, étrange, inhumain.

— Vérifiez l'ancre sitôt que vous serez au fond.

Giorgio écouta attentivement et acquiesça de la tête. Je poursuivis :

— Singleton est sous vos ordres. Il ne plongera que lorsque vous en aurez besoin.

— Le garçon connaît son affaire. Je vous le dis sincèrement : c'est un très bon plongeur, déclara Giorgio.

Il tendit son cheroot à moitié fumé au vieil homme qui inhala avec délices.

Puis il baissa son masque, glissa ses pieds dans les gigantesques palmes et enjamba prudemment le bord du bateau. Malgré le soleil, l'Atlantique est déjà froid en octobre. Je vis Giorgio faire la grimace derrière son masque. Il épousseta un peu de talc sur sa manche avant de se laisser glisser doucement dans l'eau. L'eau submergea ses épaules et, d'un seul élan, il s'écarta des flancs d'un bleu délavé du bateau, agitant ses jambes noires.

Sa silhouette massive se fragmenta en une douzaine de taches mouvantes tandis qu'il plongeait, et une traînée de bulles blanches vint crever à la surface. Dans certaines parties du Pacifique, on peut voir à plus de deux cents pieds sous l'eau. Dans la Méditerranée, une visibilité de cent pieds est fréquente. Mais dans cette eau houleuse, Giorgio disparut presque aussitôt.

Le vieil homme coupa le moteur. Celui-ci crachota comme une chandelle, puis il y eut un bref moment de silence avant que l'on entendît le murmure de la mer.

Livré au caprice de l'océan, le petit bateau dansait sur les vagues comme une balle entre les mains de virtuoses. À chaque fois que nous étions soulevés par une crête, je voyais au loin un pétrolier dont les cheminées vomissaient de la fumée à l'horizon. Singleton essaya d'allumer une cigarette, mais le vent et le tangage du bateau déjouèrent tous ses efforts, en sorte qu'il finit par la jeter. Elle tournoya plusieurs fois sur elle-même avant de disparaître dans un creux des vagues. Le vieil homme le regarda gaspiller le tabac avec un silence incrédule. Des bulles continuaient à crever à la surface, par milliers. Le vieil homme dirigea son regard du côté des bancs d'huîtres qu'il avait demandé à Giorgio de visiter pour lui, à plusieurs reprises. Je vis ses yeux se reporter sur Singleton. Il le toisa d'un air spéculatif, envisageant manifestement la possibilité de l'entreprendre sur ce sujet.

Je fis signe à Joe d'approcher :

— Si Giorgio parvient à déterminer la nature de l'épave avec une certitude raisonnable, nous transmettrons à Londres le signal « contact établi » ce soir. Y a-t-il quelque chose qui ne va pas ?

Joe avait un air contraint.

— Je ne suis pas satisfait de nos communications, dit-il.

— L'appareil fonctionne ?

— Oh ! parfaitement. J'obtiens Gibraltar facilement. C'est le retard qui se produit entre Gibraltar et Londres. Hier soir par exemple, je leur ai demandé de faire une enquête sur Singleton et la fille, comme vous me l'aviez ordonné. Ce matin, ils étaient encore en train de déchiffrer la réponse. Il a fallu que j'attende. Ce n'était pas la distance, mais des choses de ce genre…

— Vous avez raison, Joe. Si cela se reproduit, arrêtez la transmission.

— Ce soir, j'ai l'intention de transmettre le message une heure plus tôt. Je pense qu'il vaut mieux le faire par le truchement de l'ambassade à Lisbonne. Gibraltar nous fait probablement passer en fin de liste.

— N'en faites rien. Il y a trop d'oreilles aux aguets entre ici et Lisbonne. Les gardes républicains, la police, l'armée. C'est trop risqué. Ce serait trop bête de se faire prendre pour un travail aussi stupide. Maintenez le contact par Gibraltar. Si nous avons des ennuis, nous ferons un esclandre à Londres. Passez le message de ce soir avec une priorité TA 8. Voici le texte : une tasse de café, 9,40 Jaune.

Joe haussa les sourcils :

— Je les appellerai à 7 heures. Comptez sur moi…

Le vieil homme s'exclama «*pronto, pronto*», et je vis la chaîne d'ancre s'agiter, puis les taches sombres des vagues s'agglutinèrent en une forme unique, et la tête recouverte de caoutchouc de Giorgio émergea de l'eau. Il défit la grosse torche à son poignet, et nous la tendit. Puis il enleva ses palmes sous l'eau, et les jeta par-dessus le bord du bateau. Elles atterrirent sur les planches avec un choc sourd. Enfin, il saisit les plats-bords de ses mains blanches et gonflées. D'un seul élan, il se hissa hors de l'eau, et se laissa tomber dans le bateau. Joe avait sorti la bouteille thermos pleine de vin rouge chaud et Giorgio vida le gobelet d'un seul coup, et le lui tendit pour qu'il le remplisse de nouveau. Après quoi, il prit un antiseptique dans un des paniers et le versa sur ses mains enflées. Du sang suintait d'une coupure qu'il s'était faite à la main gauche, et il dansa de douleur sur les planches du bateau lorsque l'antiseptique se mêla au flot de sang, tandis que le liquide brun s'égouttait de ses doigts.

Puis il enleva la combinaison de caoutchouc et se frotta avec de l'huile camphrée et une grosse serviette-éponge. Il refit avec soin sa raie à l'aide d'un petit miroir glissé dans la poche de son pantalon de coton bleu, au pli impeccable. Une fois qu'il eut enfilé sa chemise blanche et son pull-over de cache-mire noir, il se tourna vers moi et dit :

— Ce n'est pas très difficile.

Il déclara qu'il n'était pas nécessaire que Singleton plongeât, et distribua des cheroots à la ronde. Le vieil homme remit le moteur en route et remonta l'ancre. Nous commençâmes à nous demander ce que Charlotte avait préparé pour le déjeuner.

Après déjeuner, Giorgio nous montra la position du sous-marin, et décrivit l'état dans lequel il se trouvait :

— De ce côté-ci, il y a une tranchée rocheuse. Ici, il y a un courant que j'estime être de cinq nœuds, qui maintient la coque contre les rochers.

L'anglais de Giorgio devenait meilleur quand il s'agissait de faire des rapports techniques de ce genre. Il illustrait ses explications de flèches sur le papier.

— C'est un sous-marin du type XXI, continua-t-il. Je le sais parce que j'ai vu des plans, et c'est la première fois que j'ai affaire à un bateau de ce genre. Il a environ quatre-vingts mètres de long, et sept mètres de large. C'est un très grand submersible.

Mais toute cette partie-ci (Giorgio traça une ligne à travers la coupe longitudinale du sous-marin) est remplie de batteries. L'espace sous le kiosque est nécessairement le poste de manœuvre. En dessous, ce sont les soutes et les réservoirs d'air comprimé. À l'arrière, les cabines et la cuisine. Plus loin encore, les machines et les moteurs. À l'avant du poste de manœuvre, le poste d'équipage. Ici, très exactement. Il y a près de soixante matelots sur un submersible de ce genre. Cette cloison-ci marque la fin de l'espace réservé aux batteries. L'autre compartiment utilise toute la profondeur de la coque et est très grand. C'est là où on entrepose les torpilles. Il faut faire attention lorsqu'on franchit cette cloison, on risque de tomber de très haut. Tout le compartiment est plein de torpilles, et il y a une grande brèche dans la coque, ici, dit-il indiquant l'arrière, près du magasin. Il y a six tubes lance-torpilles, trois de chaque côté. Tous les capots sont fermés.

Je remarquai que les coupures sur le dos de la main de Giorgio avaient recommencé à saigner.

— Le bateau est légèrement incliné. Cette partie-ci s'est effondrée. Les principales machines ont fait craquer la coque et sont tombées avec la barre de plongée dans une fissure des rochers. Heureusement, la salle des machines ne nous intéresse pas. L'arrière est complètement éventré, et l'on voit à l'intérieur des corps en décomposition. La coque est coupante, et il y a un très grand danger d'infection en raison des cadavres. Si quelqu'un plonge de ce côté, la plus petite coupure doit être soignée aussitôt. Le poste de manœuvre peut être fouillé en vingt heures de plongée, à moins que le plancher ne se soit effondré. Il arrive que le plancher s'effondre de telle façon qu'on ait besoin d'appareils pour le soulever. Une autre possibilité est que la coque ait été traînée sur le fond de l'océan par des mouvements d'eau résultant de l'effondrement du plancher du poste de manœuvre. Mais c'est une supposition extrêmement pessimiste. Demain, je pénétrerai à l'intérieur de la coque, si le temps le permet.

13

Londres, mardi.

À l'aérogare de Londres Ouest, des rasoirs électriques fonctionnant avec des pièces de monnaie
sont à la disposition des voyageurs. J'eus le temps
de me raser avant que Jane vienne me chercher dans
la vieille Riley de Dawlish. Il était 9 h 39.

— Qu'as-tu fait pour que Dawlish ait consenti à
te prêter notre riposte anglaise à l'Ami 6 ?

Jane dit :

— Il a arraché le pare-chocs de ma Mini-Minor
hier matin. N'en parle pas. Il ne l'a pas encore digéré.

— Je suis étonné qu'il ne t'ait pas dit d'utiliser les
voitures du pool.

— Nous avons eu des ennuis avec le pool depuis
que tu es parti faire le lézard au soleil.

— Ce n'est pas possible ! À combien le dossier de
Bernard estimait-il les dépenses de la CIA ? Et c'est
nous qui avons des ennuis avec le pool ?

— Ne t'énerve pas pour ça, dit-elle en doublant
une voiture postale et en passant sous le nez d'un
autobus qui arrivait dans l'autre sens.

Elle alluma la radio, prit une cigarette :

— Comment les choses se passent-elles au
Portugal ? demanda-t-elle. Tu as l'air aussi tendu
qu'avant de partir.

— Je me sentais parfaitement bien avant de monter dans cette voiture. Et tu oublies que je suis debout depuis 3 heures du matin, dis-je.

La pluie tambourinait contre les glaces. Devant l'entrée de Woolworth, une femme en imperméable de plastique gifla un enfant en costume de cow-boy. Nous nous arrêtâmes à Admiralty Arch.

— Bibliothèque de l'Amirauté, dit Jane. Il faut que tu partes d'ici à 15 h 45 au plus tard, si tu veux prendre le BE 072 pour Lisbonne.

La bibliothèque regorgeait de livres. Il y en avait partout. Une jeune fille lisait le *Daily Express* qui portait en gros titre : « Tony fera-t-il une tournée dans le Commonwealth ? »

— Vous souvenez-vous des documents que j'ai consultés pour le comité de coordination des forces armées, l'année dernière ? demandai-je.

— Mais oui, monsieur, dit-elle, repliant *Woman's Realm* et le *Daily Express* qu'elle rangea à côté d'un cardigan rose et d'une bouteille de lotion pour les mains, sous son bureau.

— J'ai besoin de certains de ces documents, dis-je.

La pièce avait une odeur de vêtements mouillés.

— Je cherche des détails sur une découverte scientifique faite par un officier supérieur ou un savant qui a quitté l'Allemagne en mars ou avril 1945, expliquai-je. J'ai besoin aussi de consulter les rapports de l'Assessment Board de cette époque[1].

J'avais beaucoup à faire avant de retourner à Lisbonne.

---

1. Organisme vérifiant les déclarations des bateaux et des avions alliés affirmant avoir coulé un sous-marin.

14

Giorgio suivait exactement le plan que nous avions établi. Il commença à fouiller le poste de manœuvre. La coque était envahie par la vase, et Giorgio décida que fouiller au hasard ne servirait à rien, en sorte qu'il commença du côté bâbord de la cloison. Je lui avais dit de chercher des devises, des documents, le livre de bord, et les boîtes métalliques dans lesquelles on gardait les papiers des bateaux dans la marine allemande.

Au bout de quelques jours, nous avions établi une routine qui fonctionnait fort bien. Nous nous levions vers 7 h 30, et nous buvions notre café en attendant le lever du soleil. Puis, nous prenions le bateau, et Giorgio effectuait quarante minutes de plongée. Singleton plongeait à son tour pour quarante minutes, puis Giorgio, encore une fois, pendant une vingtaine de minutes. Ensuite, nous retournions à terre. Au bout de ce temps, la boue avait été tellement brassée que le faisceau de lumière de la torche ne traversait plus l'eau trouble. Nous arrivions à la maison à midi. Charlotte, entre-temps, était allée au marché, avait nettoyé la maison et préparé le déjeuner.

Singleton avait insisté pour plonger encore une fois dans l'après-midi. Mais je craignais que cela n'attire l'attention, et Giorgio déclara que la consommation d'air sur une période de vingt-quatre heures serait telle qu'il faudrait revenir à la surface lentement pour éviter les troubles de décompression. En sorte que l'après-midi, nous allions sur mon ordre prendre des bains de soleil sur la plage. Mais le samedi suivant, des nuages se mirent à passer devant le soleil comme des papillons tournoient autour d'une bougie, et l'air devint froid sitôt que le ciel s'obscurcit. Charlotte déclara qu'elle remontait vers la maison pour faire du thé. C'est alors que je remarquai quelqu'un qui se dirigeait vers nous sur la plage. C'était un homme musclé, un peu lourd. Ses cheveux noirs étaient coupés court, au point que son torse était plus velu que sa tête. Une petite croix en or pendait à son cou. Il portait un caleçon de bain jaune et une serviette blanche, avec laquelle il s'essuyait la tête tout en marchant. Il n'y avait que le caleçon et la serviette qui trahissaient le touriste, car il était aussi bronzé que les pêcheurs, dont la peau avait la patine des meubles anciens.

Il cria :

— Est-ce un petit morceau de la bonne vieille Angleterre que j'aperçois ?

— Un petit morceau ? répéta Charlotte en fronçant le nez et en faisant la moue.

Il se présenta :

— Kondit, dit-il, tendant à Giorgio sa main large et poilue.

— Kondit ? répéta Giorgio.

— Oui, Harry Kondit. (Il rit.) Je suis américain. On m'a dit qu'Albufeira avait des hivernants. Le soleil est mort pour aujourd'hui, j'en ai peur. Si vous veniez prendre un verre avec moi ? Je vais rentrer, enfiler quelques vêtements, et je viens vous chercher dans trente minutes.

Charlotte était ravie. Giorgio avait l'air plutôt content de cet intermède à la monotonie de ses exercices d'acrobatie.

Joe dit :

— C'est un véritable bulldozer, cet homme. C'est l'Américain dont je vous ai parlé.

— Il m'a l'air sympathique, ripostai-je. Faites donc une enquête.

Le Jul-Bar était le bar le plus moderne d'Albufeira. Il y avait du plastique, des chromes, de la mosaïque, un réfrigérateur de la General Electric aussi grand qu'une cabine téléphonique, et une machine à *espresso*. Il était situé à mi-chemin d'escaliers qui mènent vers « les Jardins », c'est-à-dire vers la place du marché. C'est ce que nous expliqua Harry Kondit (appelez-moi donc Harry), en nous y conduisant.

Sur la place du marché, nous vîmes un grand car qui avait conduit les fermiers et leurs produits dans la ville. Maintenant, ils étaient assis à côté de petits tas de patates mauves, de citrons verts, de choux, d'œufs, de haricots tachetés et de tomates.

Le costume noir traditionnel est peu à peu abandonné par les paysans. Peu de gens le portent encore dans son intégralité. Mais tous sont coiffés du classique chapeau noir. Les vieilles femmes le portent par-dessus leurs fichus. Un cheval, avec un harnais brodé, orné de morceaux de miroirs et de clochettes, se mit à piaffer sur notre passage, faisant autant de bruit que les tambourins de l'Armée du salut. Sous les arbres, les hommes du village faisaient rugir les accélérateurs de leurs Perfectas et de leurs Dianas, et traversaient en virevoltes rageuses et provocantes les pavés ronds.

L'un d'entre eux passa à côté de nous comme un bolide disputant la coupe d'une compétition. Harry Kondit, qui semblait connaître tout le monde, lui cria :

— Hé, vieux, que dirais-tu de venir prendre un verre avec nous ?

La motocyclette s'arrêta net. Son propriétaire était un homme au visage blanc, orné d'une grande moustache, avec des yeux bleus très clairs. Il portait l'inévitable chapeau noir, avec un ruban dans le dos, et un gilet gris, à la mode espagnole, avec des manches longues et un devant pointu.

La motocyclette n'était pas encore arrêtée qu'il avait enlevé son chapeau et le tenait devant son torse comme un bouclier.

— Permettez-moi de faire les présentations, dit Kondit. C'est le senhor Jorge Fernandes Tomas. C'est bien ça, Fernie ?

— Sim, dit Fernie.

Fernie était un homme mince, nerveux, d'environ quarante ans. Bien que l'après-midi fût avancé, Fernie était fraîchement rasé, comme le veut la coutume en Europe du Sud. Il avait les cheveux longs, et des favoris masquaient une petite cicatrice qu'on apercevait près de son oreille.

— Nous allons au Jul-Bar, Fernie, dit Kondit, et il poursuivit son chemin, certain apparemment que l'autre nous emboîterait le pas.

Fernie posa son véhicule contre la boutique du boulanger. Par la porte, je vis des hommes au visage échauffé, des miches de pain aux formes irrégulières et des tisons flamboyants.

Nous montâmes les escaliers de pierre vers le petit café à la devanture rutilante. Des chais en métal fraîchement peint crièrent de protestation lorsque Kondit les tira sur le trottoir.

Kondit avait d'ores et déjà pris Charlotte sous sa protection. Il avait découvert presque aussitôt que les amis de Charlotte l'appelaient Charly à l'école, et que le nom lui était resté par la suite.

Kondit n'hésitait pas à parler de lui-même :

— Je me suis dit : Harry, tu vas bientôt avoir cinquante ans, et à quoi cela t'a-t-il servi de trimer ? Tu es un petit agent de publicité gagnant vingt-cinq mille dollars, sans aucune chance de dépasser les trente mille. Et ça te rapporte quoi ? Trois semaines en Floride une fois par an et, si tu as de la chance, une partie de chasse au Canada. Si tu as de la chance... Que croyez-vous que j'aie fait ?

Je voyais que Charlotte s'efforçait encore de convertir vingt-cinq mille dollars par an en livres par semaine.

— Est-ce grâce à l'armée que vous avez découvert l'Europe, monsieur Kondit, demanda-t-elle, l'interrompant avec une désinvolture très féminine.

— Non, hélas ! Vous souvenez-vous de la phrase célèbre du général MacArthur aux Philippines : « Je reviendrai » ? Eh bien ! j'y suis revenu huit heures avant lui. Et ça n'était pas une partie de plaisir, c'est moi qui vous le dis. Mais vous ne buvez pas ! Je vais commander encore du vin. *Chef, dos moscos Estas senhoras desejam vinho seco.*

Je vis le jeune garçon regarder Fernie, car en dehors d'une prononciation extravagante, Kondit employait la phraséologie pompeuse des manuels de conversation. Néanmoins, on nous apporta le vin.

Après cela, nous allâmes chez Kondit boire un autre verre avant le dîner. Il vivait à l'autre bout de Praca Miguel Bombarda. C'était une maison simple, avec une entrée dallée de rouge et de blanc. Les lourds meubles en bois sombre frémirent lorsque nous traversâmes le plancher inégal. De l'entrée, on pouvait voir, à travers toute la largeur de la maison, la mer gris perle, le ciel ardoise, et le balcon blanc, qui formaient une étrange harmonie de couleurs à l'extérieur. Venant de la cuisine, on sentait une odeur d'huile d'olive, d'oignons, de piments et de seiche. C'était une vieille femme ridée d'une soixantaine d'années qui s'occupait du ménage de Kondit. Je devinais sa main féminine dans les hortensias qui baignaient dans des bols en terre cuite.

— Salut, Maria. Par ici, mes amis, dit Harry. Je suis le seul Américain au monde à n'avoir pas de réfrigérateur.

Le patio était décoré de plantes vertes et d'un parasol. Du balcon, on apercevait le nouvel hôtel en construction. Kondit vida son verre d'un seul coup et regarda en direction du bâtiment avec regret.

— Cet endroit deviendra trop cher pour moi lorsqu'ils auront terminé ce joujou.

Fernie, qui n'avait guère parlé jusqu'alors, demanda une cigarette à Giorgio, qui insista pour lui faire accepter un cigare. Fernie avait parlé en un italien parfaitement clair et aisé, et Kondit remarqua ma surprise :

— Et il parle l'allemand et l'espagnol aussi bien que vous et moi nous parlons l'anglais, n'est-ce pas, Fernie ?

Il lui tapa affectueusement sur l'épaule.

— Fernie avait trois bateaux, mais le gouvernement les lui a pris. Un matin, lorsqu'il est allé au port, il a trouvé la porte de son bureau cadenassée, et deux hommes en gris en train de monter la garde devant ses bateaux. Pas de jugement. Ils ont été purement et simplement confisqués.

Singleton demanda :

— Mais quelle justification ont-ils donnée ?

— Aucune, dit Kondit.

— Il a bien fallu qu'ils disent quelque chose ?

Kondit se mit à rire :

— On voit bien que ça ne fait pas longtemps que vous êtes au Portugal, fiston. Le gouvernement fournira des explications dans ce pays le jour où les maris diront à leurs femmes où ils ont été. Non, ce n'est pas la façon de ce pays.

— Pensez-vous qu'il y ait eu une raison ?

— Moi ? C'est une question tout à fait différente. C'est probablement parce que Fernie a lutté contre ce salaud de Franco lors de la guerre espagnole. Il était au siège de Malaga.

— Vraiment ? dis-je. Il n'y a pas beaucoup de Portugais qui aient combattu en Espagne.

— Erreur, les Portugais se sont battus dans le monde entier, riposta Kondit. Savez-vous ce qu'on

80

m'a dit : « Dieu a donné au Portugais un petit pays pour berceau, et le monde entier pour tombe. »

Rien, dans l'expression de Fernie Tomas, n'indiquait qu'il comprenait la conversation.

Singleton avait l'air déconcerté ; il dit :

— S'il s'est battu en Espagne, ça explique peut-être les choses.

— Explique… dit Kondit. Vous voulez dire que ça les justifie ?

— En un sens, oui, dit Singleton.

— Vraiment ? remarqua Kondit avec douceur. Permettez-moi de vous dire quelque chose, fiston. Un tas de gars faisaient partie de la brigade Abraham Lincoln, qui n'étaient pas des communistes pour autant. C'étaient juste des types qui se faisaient tuer afin que vous ne portiez pas une chemise noire et ne démolissiez pas la vitrine d'un confiseur juif sur le chemin de l'école. En Espagne, ils disent « *nuestra guerra* » mais ce n'était pas leur guerre, c'était notre guerre à tous. Et quand les gars de la brigade Abraham Lincoln sont revenus aux États-Unis, il y avait des tas de gens qui auraient bien aimé leur faire ce qu'on a fait à Fernie. Mais ils n'ont pas pu, heureusement, parce qu'en 1942, les gens prêts à se battre contre les fascistes étaient de nouveau à la mode. Donc, ne vous montrez pas si condescendant et compréhensif : vous ne savez jamais quand arrivera votre tour de n'être pas à la mode.

Kondit parlait toujours calmement, d'une voix douce, mais toutes les autres conversations avaient cessé. Le vent du soir se mit à bruire dans les feuilles du petit palmier. Kondit tapa sur l'épaule de Singleton avec bonhomie et dit, sur un ton tout différent :

— Nous devenons sinistres. Si on prenait un autre verre ? Venez m'aider à le préparer, Charly.

Ils disparurent dans la cuisine. Fernie se mit à parler en italien avec Giorgio de l'autre côté du balcon.

— Que dites-vous de cela ? me demanda Joe.

— Demandez à Londres un S 8 sur Kondit, et faites une nouvelle enquête sur Singleton. On ne peut pas être trop prudent, et ce Singleton est trop beau pour être vrai.

Je regardai les vagues se briser sur le sable. Chaque ombre noircissait jusqu'à ce que l'une, perdant l'équilibre, tombât en avant. Elle creusait un trou blanc dans l'océan vert et, en tombant, entraînait sa voisine dans sa chute, puis une autre encore, jusqu'à ce que toute l'étendue de la mer fût une longue crête d'écume surmontant une bouche béante.

Charly et Kondit émergèrent de la cuisine avec un grand plateau chargé de verres et une cruche, le tout peint de danseuses de French Cancan, avec « Vive la différence » en lettres d'or. Alors qu'ils franchissaient la porte, j'entendis Harry dire :

— C'est la seule chose de New York qui me manque.

— Mais je vous les laverai.

— Vous feriez ça, mon chou ? Je vous en serais reconnaissant, pour sûr. Une par semaine, ce serait merveilleux. Maria se débrouille avec les chemises en coton, mais elle brûle les fibres synthétiques. Elle chauffe trop le fer.

Puis Charly dit à voix haute et claire :

— Monsieur Kondit, je veux dire Harry, nous a préparé un Martini spécial, et il a un réfrigérateur, contrairement à ce qu'il avait prétendu.

— Vous aviez promis que ce serait un secret entre nous, dit Harry en feignant le reproche, et il pinça les fesses de Charly.

— Ce sont des activités antiaméricaines, protesta-t-elle.

— Oh! non, riposta Kondit. Il y a encore un certain nombre de choses que nous faisons avec les mains.

Dehors, les vagues s'écrasaient l'une après l'autre, retombant sur l'écume blanche et sifflante de celles qui étaient venues avant elles mourir sur la grève. Et je me demandais avec inquiétude quand nous commencerions à en faire autant.

15

Lundi fut de nouveau un jour chaud et ensoleillé. Je restai à la maison, et Charly se déclara ravie. Je ripostai qu'entre Kondit et Giorgio, il me semblait qu'elle était déjà menacée de surmenage.

— Comment savez-vous que ce n'est pas l'inverse ? rétorqua-t-elle.

Évidemment Charly emprunta mon peigne, me recoiffa et me rendit le peigne au bout d'une minute et demie. Après quoi, nous allâmes faire notre marché. Elle avait réussi à établir des relations amicales avec les hommes sans s'aliéner les femmes. Elle parlait le portugais couramment, et savait même les noms de certains poissons et légumes en patois. Les femmes voyaient en elle le symbole de l'émancipation à laquelle elles aspiraient, alors que les hommes l'observaient de loin, se demandant si elle était un sujet qu'ils pouvaient aborder entre eux ou avec leurs épouses.

Charly portait une robe rose pâle, sans manches, qui faisait ressortir le bronzage de ses bras. Ses cheveux étaient naturellement d'un blond presque blanc, la couleur de la pierre de Portland. Elle s'arrêta pour caresser un chien au milieu de la route inondée de soleil. Elle siffla l'homme qui relevait les compteurs de gaz, et l'épicier lui permit de faire fonctionner le hachoir à légumes. Elle s'amusa à faire de la charpie avec les choux, des feuilles de cigarettes avec les carottes et les potirons, et des allumettes avec les haricots.

Elle fendait les régimes de bananes avec un grand couteau, d'un geste professionnel, critiquait les gousses d'ail, enfonçait ses doigts dans les tomates et laissait la marque de ses ongles sur les haricots. Les gens l'adoraient.

Nous traversâmes le marché aux poissons. Les étals en ciment scintillaient de brèmes, de sardines, de maquereaux. Dehors la mer réverbérait le soleil, charriant des millions d'étincelles, roulant ses crêtes d'écume comme les ailes de grands oiseaux blancs.

Les bateaux multicolores des pêcheurs avaient été tirés sur la grève, aussi serrés les uns contre les autres que les voitures au bout d'une chaîne de montage chez Ford. L'intérieur de la plupart d'entre eux était bleu outremer, l'extérieur, peint en bandes alternées de vert, de rose pâle, de blanc et de noir. Les proues portaient les signes distinctifs de chaque bateau, un nom, ou tout simplement un œil ou un cheval. Quelques-uns étaient ornés de panaches en poils d'animaux, comme porte-bonheur. Les bateaux qui avaient été en mer dans la nuit de dimanche sous la pluie, dont les voiles séchaient au soleil, évoquaient une espèce de village de toile. Par-ci par-là, des pêcheurs vérifiaient des filets, ou les étalaient au soleil.

Alors que nous nous apprêtions à quitter le marché aux poissons, une petite cloche tinta, pour le contrôleur des contributions. Des anguilles séchaient au soleil et, sur les pavés ronds, un homme en chemise bleu foncé avec des dessins bleu clair, ou vice versa, nettoyait une grande balance à poisson en bois. Charly lui demanda s'il avait tout vendu. Il dit oui, et quand elle l'injuria avec modération, il partit précipitamment chercher les tourteaux qu'il avait oublié de lui mettre de côté.

Même l'agent remonta sa ceinture en cuir verni et nous adressa un sourire. Les actions de Charly montèrent encore. Jusque-là, personne ne l'avait jamais vu sourire.

Chaque année, le bâtiment auquel est fixée la cloche est peint en jaune moutarde, et le bar voisin, en rouge tomate. Mais chaque année, le soleil, jour après jour, décolore la peinture jusqu'à rendre les teintes méconnaissables. À l'intérieur du bar, le dallage en forme d'étoiles se confond avec le carrelage assorti des murs. Le soleil, pénétrant par les portes en deux traînées blanches, accentue l'impression de fraîcheur qui se dégage des tables à dessus de marbre et des chaises boiteuses, peintes en bleu, et jette ses reflets parmi les images en couleur de Glamis, de la tour de Londres et de la reine en compagnie de Salazar. Un grand chat poivre et sel coexiste paisiblement avec un petit coq du nom de Francios. Les pêcheurs étaient en train de crier : « Chante, Francios ! » pour amuser Charly, lorsque Joe Mac Intosh entra. Il murmura :

— Nous avons trouvé quelque chose. Venez-vous ?

Fernie entra dans le bar au moment où nous en sortions. Il nous dévisagea avec des yeux qui, apparemment, ne cillaient jamais.

16

Les volets de la fenêtre étaient fermés. Dans la pénombre de la pièce, Giorgio nous attendait. Singleton préparait le bateau et l'équipement. Il devait revenir d'un instant à l'autre.

Joe déclara :

— Nous avons décidé de vous attendre.

— Merci, dis-je, comme si on me confiait le commandement du *Queen Elizabeth*.

Sur la table recouverte de journaux, éclairée par une ampoule de 60 watts, je vis un grand étui en acier peint en vert. Les bords et les coins avaient été arrondis, et de la colle à sceller joignait deux moitiés égales.

Je dis à Joe d'aller chercher le Polaroïd. Il apporta l'appareil de photo avec le flash et le filtre vert pour prendre le maximum d'indices que pourrait nous fournir la couche de peinture verte. Il prit six clichés. Les épreuves se révélèrent bonnes.

Puis, avec une paire de pinces, il entreprit d'ouvrir la boîte de métal dont le couvercle finit par pivoter avec un craquement sur ses gonds rouillés. Aucun d'entre nous ne s'attendait à une découverte extraordinaire, mais nous espérions tout de même un peu mieux. Il n'y avait guère qu'un peu de coton et de talc, de qualité inférieure, un bout de vieille toile de la taille d'un mouchoir d'homme, des morceaux de papier blanc déchiré, et un billet de vingt dollars, tout froissé et sale. Charly étendit la main et le ramassa. Au même moment, nous entendîmes le tintamarre d'une motocyclette, qui se rapprocha, et s'arrêta immédiatement au-dessous des volets clos.

Charly murmura silencieusement : « Fernie », et fronça les sourcils, consciente que la situation appelait un réflexe stratégique rapide.

Ce n'était pas grave en réalité, bien entendu. Nous dissimulâmes notre trouvaille avant d'ouvrir la porte à Fernie, que nous entraînâmes à la cuisine pour lui offrir du café. Il accepta une tasse de sa façon courtoise mais laconique, sourit agréablement, et dit qu'il apportait un message de caractère confidentiel du principal personnage de la région.

Je lui demandai qui était le principal personnage de la région. Fernie répondit :

— Le senhor Manuel Gambeta do Rosario da Cunha. Un très grand monsieur, si vous me permettez de donner mon avis.

J'entendis Singleton crier du balcon :

— Alors, qu'est-ce qu'il contenait ?

— J'ai pour principe, senhor Fernandes Tomas, de toujours permettre aux gens de donner leur avis.

— Moi aussi, répondit-il.

On aurait pu croire qu'il n'avait pas entendu Singleton. Il me donna l'adresse à laquelle je devais me rendre à 5 heures « pour y apprendre quelque chose de profitable ».

— Je vous y rejoindrai.

Il prit son chapeau noir sur la console de marbre du hall, et mit sa motocyclette en route. Puis il disparut à toute allure au long de la petite rue pavée, bordée de maisons blanches. Il ne se retourna pas une seule fois.

En revenant dans la maison, je les trouvai tous assis autour de *deux* billets de vingt dollars. Les numéros différaient de vingt-trois unités.

— Deux ? Je croyais qu'il n'y en avait qu'un dans la boîte, remarquai-je.

— En effet, dit Joe. Mais Charly a sorti son jumeau de l'armoire à linge sale.

Je regardai Charly.

— Il se trouvait dans la poche d'une des chemises sales de Harry Kondit, dit-elle avec embarras. Je lui avais proposé de les lui laver.

Je ne dis rien.

— Pas toutes ses chemises, bien sûr. Seulement celles en fibres synthétiques.

— Bon, bon, dis-je. Mais ne vous laissez pas attendrir au point de le regretter s'il venait soudain à disparaître.

17

À l'ouest d'Albufeira, il est un endroit d'où l'on domine des pentes douces de figuiers et de vignes d'un vert cendré, descendant mollement vers l'étendue bleue de la mer, à trois kilomètres. Il s'y trouve un patio qui retentit à longueur de journée des voix des pêcheurs et des commerçants d'Albufeira. Les tables de bois, blanchies par le soleil, sont chargées d'assiettes de seiches et de murènes, séchées puis frites, délicieusement croustillantes. On boit le vin de la nouvelle récolte et on discute de ses mérites, à l'infini, sans jamais tomber d'accord, jusqu'à ce que la récolte suivante soit faite. Pressé à la façon des Maures dans des sacs de jute, ce vin rosé, un peu trouble, est ensorcelant comme un fado. Sur la colline voisine, des moulins à vent, dont les ailes blanches sont repliées, se découpent comme de délicats astérisques contre le ciel. Au-delà, la silhouette de la gare marque l'endroit où s'arrête le chemin de fer de Lisbonne, qui lance vers Albufeira un tentacule trop court de six kilomètres.

Fernie serra des mains qui aussitôt ressaisissaient la miche de pain ou le verre qu'elles avaient lâché. Puis il poussa la porte au-delà de la terrasse, qui résonna comme une note dans le chœur d'une église : avec une longue vibration prolongée de subtils échos.

Derrière la porte s'étendait un passage sombre. Des tonneaux s'y vidaient dans des bouteilles destinées aux buveurs de la terrasse. À côté de barils d'olives noires et vertes, se trouvaient des paniers débordant de figues. Fernie m'en donna une poignée. Nous traversâmes ce couloir jusqu'à la porte du fond. Elle s'ouvrait sur une cour. Des deux côtés, des murs blancs et bas encadraient un sol rouge. Devant nous, des oliviers bordaient un sentier dallé aux couleurs vives, menant vers une maison bleue décorée de blanc, qui trônait au milieu du paysage comme une théière de Wedgwood. C'était un de ces vieux manoirs, ou *montes*, qui s'élèvent au milieu de grandes propriétés couvertes de chênes-lièges, d'oliviers, de figuiers. Des porcs noirs fouissaient sous les oliviers et derrière la maison un chien aboya sans conviction, pour la forme.

Fernie ouvrit la grille de fer forgé et, s'effaçant pour me laisser passer, dit dans un anglais lent, mais impeccable :

— Vous *êtes* en relations avec M. Smith, n'est-ce pas ?

— Bien sûr, ripostai-je aussitôt.

Il fit un signe de tête silencieux et me laissa seul dans la résidence du senhor Manuel Gambeta do Rosario da Cunha, premier personnage de la région.

Il était 5 heures de l'après-midi, et le soleil, en ce mois d'octobre, était déjà bas à l'horizon. Vers le nord, les montagnes étaient d'un mauve intense et le soleil, éclairant les plus hautes des maisons blanches, les teintaient de rose, comme les géraniums fleurissant au long des murs.

Les derniers rayons du soleil jouaient sur une des tempes osseuses de la tête de da Cunha, et faisaient scintiller derrière lui les lettres d'or de l'*Histoire romaine* de Mommsen et des œuvres complètes de Balzac. La maison était richement meublée, et il n'y avait pas besoin d'y être reçu à dîner pour savoir que le vinaigrier n'était pas en plastique.

Sur le bureau d'acajou de da Cunha, je vis un grand encrier ancien, en porcelaine garnie d'or, un coupe-papier en or, une boîte de cire à cacheter, un sceau, et une douzaine de feuilles de papier à lettres de luxe, couvertes d'une écriture fine, maintenue par un presse-papiers de marbre.

— J'ai cru comprendre que vous cherchiez, en draguant le fond de la mer, à récupérer quelque chose qui a été perdu.

La description manquait d'exactitude, mais n'était pas faite sous forme de question. Je me tus.

Da Cunha enleva ses lunettes. La monture d'or avait fait une marque rouge de chaque côté de son nez. Je me demandai quel talent il fallait posséder pour s'offrir un tel décor.

— Au cours des siècles, cette côte a attiré bien des aventuriers. Et ils ne cherchaient pas tous des trésors récemment perdus. La ville d'Olhao a été construite entièrement avec les bénéfices réalisés en vendant aux deux camps pendant l'affaire de Cadix.

Il parlait de l'affaire de Cadix comme si elle datait de la semaine passée et non du XVIᵉ siècle.

— Mais j'ai l'impression que dans le cas de votre groupe, les motifs ne sont pas entièrement honorables.

Il s'arrêta, et dit :

— J'espérais provoquer une réponse.

— Votre anglais est excellent, dis-je.

— J'ai passé les années 1934 et 1935 à Peterhouse College. Mais vous n'avez pas répondu à ma question.

— Je ne crois pas que ma conception de l'honneur puisse s'accorder avec la vôtre, dis-je. Vous pourriez acheter une paire de chaussures à chacun des enfants qui court nu-pieds dans Albufeira avec le prix de cet encrier.

— Il y a dix ans, j'aurais été tenté de vous expliquer en quoi vous vous trompez. Aujourd'hui… (Sa voix se perdit.)

Le soleil avait disparu derrière la colline maintenant, et ne flamboyait plus que dans la cime de quelques arbres. Da Cunha remit ses lunettes :

— Nous n'avons pas besoin de discussion préalable. Je suis en mesure de vous donner ce que vous cherchez, et j'espère que vous quitterez l'Algarve et que vous laisserez ses habitants en paix.

Il se dirigea vers un coin de la pièce. Le tapis persan étouffait totalement le bruit de ses pas. Il glissa la main dans une étagère où se trouvait un assortiment de livres, et en prit six entre ses paumes. Derrière les livres, je vis un paquet enveloppé de papier marron, de la taille d'une petite boîte de cigares. Le senhor da Cunha tira sur un cordon de velours rouge, puis m'apporta le paquet, le posant sur le bureau en acajou.

Je n'y touchai pas.

— Je n'aime pas, dit da Cunha, la façon dont se sont passées les choses. Vous pourrez le dire à votre M. Smith. Je ne suis pas content.

Je me dis : je le lui dirai si je le rencontre jamais. M. da Cunha m'offrit du café, alors que je me demandais qui pouvait bien être ce M. Smith auquel je me heurtais partout, et quels étaient ses liens avec ce petit gang de pirates portugais.

Le café fut servi de la seule façon qu'il pouvait l'être dans une maison de ce genre. Dans une cafetière en argent entourée de porcelaine de Limoges. Il était accompagné de massepains, qui renfermaient en leur centre un jaune d'œuf moelleux. Da Cunha m'en fit manger trois à la file.

— Je pense que notre Algarve est le paradis terrestre de l'Europe, dit-il en versant le café.

Et il prit délicatement un nouveau petit four dans l'assiette qui se vidait rapidement.

— Nous avons des amandes, des figues, le meilleur raisin d'Europe, du champagne acceptable. Des olives, des châtaignes, des oranges, des grenades. Des homards, des calamars, du crabe, des anguilles, des crevettes, des sardines, des seiches, des poulpes. Beaucoup plus que je n'arrive à en manger. Sur les gouttières relevées de nos maisons – à la façon chinoise, pour éviter le mauvais œil comme les Portugais l'ont appris au cours de leurs voyages –, sur ces gouttières chante le rossignol célébré par les poètes arabes.

— Sans blague ? dis-je, en lui offrant une High Life, marque locale de qualité inférieure.

Le senhor da Cunha refusa et alluma une cigarette turque qu'il prit dans une boîte en ivoire.

— On raconte une légende, dans la région, poursuivit da Cunha, selon laquelle un prince maure épousa une princesse russe. La princesse se languit, pensant à son pays tout couvert de neige, jusqu'au jour où, un matin de février, elle se réveilla et vit de sa fenêtre les fleurs blanches des amandiers couvrant tout le pays. Vous aimeriez l'Algarve en février.

— Je l'aime maintenant, bien que d'une façon bourgeoise, dis-je prenant un autre gâteau d'amandes. Da Cunha approuva de la tête.

Au second pot de café, il me parla du festival de Sao Marcos, pendant lequel les moines fouettent un veau sur les marches de l'église afin de détourner sur lui tous les maux risquant de frapper le bétail au cours de l'année. Je bus le café, tout en méditant.

M. Smith, me disais-je, a quelque chose à voir avec la voiture qui m'a suivi sur l'A3. Le service des transmissions de Gibraltar lui communique mes messages. Et à Albufeira, on me cite son nom de tous les côtés, et l'on me fait un cadeau parce qu'on le croit mon copain.

Lorsque nous fûmes arrivés au saucisson fumé au paprika, da Cunha me parla de la colline que l'on escaladait la nuit de la Sao Vincente. Si la torche s'éteint, les paysans se préparent à une année faste. Si elle reste allumée, on renvoie les ouvriers.

Nous absorbâmes une demi-douzaine de bières. Da Cunha évoquait maintenant le sabbat de la Saint-Jean, quand garçons et filles sautent, la main dans la main, par-dessus les feux de joie. Les filles brûlent les fleurs d'un chardon pourpre dans les flammes et plantent la tige. Seul l'amour sincère la fait fleurir.

— Fascinant, dis-je.

Le senhor Manuel Gambeta do Rosario da Cunha se leva de son bureau et alla à la porte, où il eut une conversation chuchotée. Puis il me dit brièvement que douze grains de raisin devaient être mangés la veille de la nouvelle année, à minuit, pendant que les tambours, les trompettes et les cloches retentissaient sur chaque place du Portugal. C'était la seule façon de s'assurer du bonheur pendant les douze mois de l'année. La porte s'ouvrit.

Il faisait nuit dehors, le senhor da Cunha alluma la lampe de cuivre coiffée d'un abat-jour vert, et fit de la place sur son bureau. La femme de chambre, en coiffe blanche et robe noire, y déposa un plateau. Il y avait un pain portugais, du beurre, un crabe ouvert, prêt à être consommé, et un bol de soupe au poisson crémeuse, parsemée de crevettes.

— Le cognac local est assez bon pour conclure ce petit casse-croûte, dit da Cunha avec amabilité, et peut-être accepterez-vous une goutte de liqueur d'anis avec le café ?

Lorsque je partis, il claqua les talons et dit que c'était un plaisir de pouvoir s'entretenir avec une personne aussi cultivée que moi. Il proposa d'envoyer Maria m'accompagner à travers le jardin avec la lanterne, mais je voulus absolument la porter moi-même. À mi-chemin du portail en fer forgé, un coup de vent l'éteignit. Il y avait un mince croissant de lune et, derrière la maison, le chien se remit à aboyer. Au-delà des hortensias et du mur, gris-bleu à la clarté de la lune, *j'entendis une motocyclette se mettre en route*.

Je me dirigeai vers l'ombre du mur et je regardai du côté de la maison. Seule la lumière du bureau, au premier étage, était visible du jardin. Je sautai par-dessus le mur, et j'atterris dans la terre molle. Je secouai la tête, essayant de dissiper les fumées de l'alcool. Je sentais la forme anguleuse de mon pistolet sous mon aisselle. Personne n'était en vue. Je suivis la plate-bande, pas mécontent à l'idée qu'on y découvrirait mes empreintes le lendemain matin. Au-delà du portail, où l'on voyait les traces toutes fraîches de la motocyclette, je remarquai une excavation. Elle avait près de sept pieds de long. Je regardai dedans. Elle avait trois pieds de profondeur. Il aurait fallu encore quelques pieds, pour qu'on pût la considérer comme une tombe bien faite. En tête de la fosse, une simple croix de bois portait l'inscription : « Ci-gît le corps d'un sous-officier de la marine allemande, au nom inconnu, rejeté par la mer le 2 mai 1945. Que son âme repose en paix ! »

Je retournai vers l'endroit où j'avais laissé ma voiture. Je retrouvai les clefs sous plusieurs poignées d'amandes et de châtaignes. Le moteur se mit en route sans difficulté. Quel était le dicton local cité par da Cunha ? Italie, le pays où il faut naître, France, celui où il fait bon vivre, Portugal, celui où l'on meurt.

En rentrant, je bus coup sur coup quatre tasses de café avant de retrouver ma lucidité, et avant que quelqu'un osât me demander ce que j'avais appris de profitable.

— Je ne le saurai que demain, dis-je avec désinvolture.

Il m'eût été difficile d'avouer que j'avais oublié le paquet.

— Demain, dis-je à Mac Intosh, vous et moi nous rendons à Londres.

Lorsque j'allai me coucher, ce soir-là, j'avais encore la grande tombe présente à l'esprit, *car les lettres gravées sur la croix étaient toutes fraîches.*

18

J'étais en colère contre moi-même. J'allai chez da Cunha tôt dans la matinée. La femme de chambre vint m'ouvrir et me dit : « *Bons dias*. » Elle me tendit une carte de visite gravée sur le dos de laquelle da Cunha avait écrit de son écriture régulière : « Votre petit paquet est en sécurité. Faites-moi l'honneur de venir le chercher vers 10 heures du soir. Amicalement vôtre. M. G. R. da Cunha. »

La femme de chambre reprit la carte que je lui tendais et, la remerciant, je retournai à ma voiture.

Personne ne plongea ce matin-là. Il faisait gris, et le vent soufflait, brisant la crête des vagues et jetant l'écume contre les rochers de la côte. Nous restâmes assis à ne rien faire, jusqu'à ce que Kondit vînt nous chercher pour prendre le café chez lui.

— Maria Teresa de Noronha, dit Kondit, est la meilleure chanteuse de fado du Portugal.

Une machine à café bouillonnait sur le foyer carrelé de bleu et de blanc, et Charly, en pantalon de toréador couleur bronze, était assise en tailleur au milieu de pochettes de disques éparpillées, représentant l'art populaire du monde moderne.

Les murs étaient décorés de couvertures bariolées, œuvres de tisserands locaux, et de photographies représentant Kondit, le fusil à la main, le pied victorieusement posé sur la nuque de divers quadrupèdes.

Singleton et Joe écoutaient Kondit leur faire une rapide description du Portugal. (Joe y avait vécu pendant quinze ans.) Giorgio regardait, par-delà le balcon, la mer grise. Moi, j'examinai les livres de Kondit, ses instruments de culture physique, le Mauser 7 mm bien astiqué, et les belles jumelles Zeiss × 4 dans leur étui de cuir. J'admirai ses lithographies, et j'écoutai les mélodies plaintives des fados. Kondit les commentait au fur et à mesure qu'il les choisissait.

— Ceci est une chanson sur une fille qui loue une maison sur la falaise pour guetter le retour de son amant. Un jour, elle apprend que son amant est mort en mer, et ne reviendra jamais. Et elle chante à la vieille dame à qui appartient la maison : *Faz un preco mas barato para longa estadia ?*

Kondit avait parlé d'un ton ému, mélancolique. Singleton hocha la tête avec sympathie. Mais Giorgio ne se retourna même pas. Charly battit des mains et sourit, du sourire qu'elle arborait quand elle pensait à l'effet à produire.

— Avez-vous compris ? demanda Charly. Cela signifie : « Faites-vous un prix plus bas pour un long séjour ? » Les touristes la disent tout le temps à Lisbonne. Vous n'êtes pas sérieux, monsieur Kondit.

Kondit se mit à rire. Il versa de grandes tasses de café. Je pris la mienne, et retournai examiner ses livres.

Il y avait là *L'Espagne et le Portugal*, de Fodor, l'œuvre imprimée de D. H. Lawrence, y compris l'édition d'Olympia Press de *L'Amant de lady Chatterley*, et le livre sur le procès de lady Chatterley de Penguin books. Il y avait encore *Un testament espagnol*, de Koestler. Un *Guide des grands trésors de l'art* pour enfants, et *L'Art depuis 1945*. Il s'y ajoutait tout un choix d'albums sur les peintres modernes.

Nous lui fîmes compliment de son café, puis Singleton demanda :

— Qu'est-ce qui vous a incité à venir vivre en Europe, monsieur Kondit ?

— C'est simple, dit Kondit. Je prenais du Milltown pour dormir, du Dexamyl pour me réveiller et du Seconal pour me soutenir jusqu'au soir. Ici, je bois du champagne à longueur de journée, et ça me revient moins cher !

Kondit fit suivre son café d'un cognac portugais. Joe refusa.

— Oui, dit-il, se versant une nouvelle rasade avant de reboucher la bouteille. J'étais coincé entre les traites du crédit et le somnifère, et je passais mon temps à me demander quelle saison les Yankees allaient avoir. Comment en sortir ? Je savais qu'il y a des postes pour les Américains à l'étranger, mais j'étais trop vieux pour me faire embaucher par les grandes compagnies, et l'Oncle Sam n'a pas de travail pour un excentrique illettré comme moi qui puisse se faire sans fusil. Un jour que j'étais debout dans le bar du train de 5 h 11 qui venait de quitter Pennsylvania Station, et que je regardais cette foule de banlieusards en me disant que je donnerais cher pour ne plus être obligé de prendre ce train chaque matin et chaque soir, je me suis dit : Qu'est-ce qui ferait envie à ces abrutis, que je puisse leur vendre en échange de leur argent ? Et que pensez-vous que j'aie répondu ?

Il regarda son auditoire, jouissant de la minute de silence, et se versa une nouvelle tasse de café.

— La culture, dit-il, distribuant du café et du sucre à la ronde. Il y a de quoi faire rire tous les pelés et les tondus dont je fais partie, parce que la culture n'est pas quelque chose qui s'enfile comme un pardessus dans un magasin. Mais moi et un gars du nom de Joe Williams-Cohen, un vieux copain d'autrefois, qui en avait marre de la musique, on a trouvé un filon avec deux chansons patriotiques au moment de la guerre de Corée. J'ai dit : C'est maintenant ou jamais, Wilco, mon gars – tout le monde l'appelle Wilco –, c'en est fini de vivre d'expédients, on va devenir l'équipe qui aura droit à la photo en première page du *Times* de 1975.

Il était environ 11 h 30.

J'allai rejoindre Giorgio, qui regardait par les portes du balcon. De temps à autre, des gouttes de pluie tiède s'écrasaient sur les dalles. Sur la plage, deux longues lignes d'hommes halaient un filet en forme de U.

Kondit parlait toujours :

— Que les génies aillent se faire f…, dis-je, moi je suis pour l'homme de la rue. Et c'est ainsi que nous avons créé *L'Art à la portée de tous*, juste une petite baraque sur la 12e Est, d'abord. Wilco empruntait la camionnette de son beau-frère pour faire les livraisons.

— Harry, vous êtes impayable, dit Charly. Mais qu'est-ce que vous vendiez ?

— Une feuille de chou : *L'Art à la portée de tous*. On la vendait dans les cafés, et on faisait un peu de publicité dans les hebdomadaires intellectuels. On a vécu confortablement. Oh, il n'y avait pas de quoi payer un vison à une souris, mais ça suffisait. Et puis un jour, mon copain, Léo Williams-Cohen avec un trait d'union, a dit : Que les hommes de la rue aillent se faire f…, c'est une bande d'idiots et de radins. Ce qu'il nous faut, c'est du raffinement, quelque chose qui touche l'élite. Il réfléchit et dit : l'art pour les connaisseurs.

Harry Kondit se dirigea vers la bibliothèque et prit un dossier relié en cuir bleu pâle sur l'étagère.

— Et ça a marché, demanda Joe Mac Intosh ?

Il était encore étendu sur le sofa aux couleurs vives, avec sa tasse vide sur ses genoux.

Harry Kondit ouvrit un numéro de l'*Esquire*, le feuilleta, puis nous montra une reproduction en couleur d'un nu de Modigliani. Il portait cette légende :

Le Club de l'Art pour les Connaisseurs a l'honneur de présenter comme «Chef-d'œuvre du Mois» pour janvier une reproduction en couleur d'un des plus beaux tableaux du monde. Devenez membre de notre club et vous recevrez deux reproductions en couleur des nus les plus célèbres de l'art mondial, tout prêts à être encadrés pour orner exquisement votre bureau, votre usine, ou votre foyer.

Recevez chaque mois un beau portrait de la féminité dans sa pureté originelle, choisi par un jury d'artistes célèbres, de professeurs et d'éducateurs, accompagné par des notes explicatives, des critiques et des descriptions de Henry Zahn.

Charly se mit à applaudir et Singleton, Giorgio et moi nous joignîmes à elle. Harry ne se fâcha pas.

— Mais, demanda Joe, comment faites-vous pour vivre à Albufeira ?

— C'est simple. Je consulte ces livres… (Harry Kondit prit trois gros livres d'art sur l'étagère) et je choisis le chef-d'œuvre du mois.

En retirant les livres, il démasqua trois livres plus petits qui étaient tombés derrière les autres.

— Mais dit Joe, la notice dit…

Il était rouge d'embarras. Je m'emparai rapidement des trois livres.

— Qu'il y a un jury d'artistes et d'autres plaisantins, enchaîna Kondit.

L'un des livres était intitulé *Formules pour le physicien*, un autre, *Construisez votre laboratoire*.

— Le jury choisit, continua Kondit…

Le troisième était intitulé *Structure moléculaire*. Je ne pus m'empêcher de penser aux théories pour faire fondre la glace. Leurs principes consistaient à modifier l'arrangement des molécules.

— Mais c'est moi, Henry Zahn, qui décide, conclut en riant Kondit.

Il se tapa la cuisse d'hilarité, comme s'il risquait d'être convulsé de rire s'il ne se battait pas rapidement.

Ce mercredi, lorsque j'y repense, fut un long gaspillage de temps. Giorgio et Singleton devaient essayer de plonger dans l'après-midi. Mais l'équipement de Giorgio était déréglé : l'air arrivait par à-coups au lieu de circuler de façon égale. Ils durent revenir au bout de quelques mètres.

J'étais un peu nerveux, mécontent de moi-même, pour avoir oublié le paquet de la veille, et pour avoir critiqué les clovisses, des Borbigos, que Charly avait fait cuire pour le déjeuner dans du paprika, avec des saucisses fumées. Après le déjeuner, elle retourna chez Kondit, et parla des dépenses et de la location d'une voiture avec Joe Mac Intosh, qui s'occupait de notre comptabilité, en plus des séances de plongée.

Je m'inquiétai à propos de Giorgio. Il s'était montré si exubérant, si actif, avant de commencer à plonger. Joe m'assura que tous les plongeurs étaient d'humeur sombre une fois une mission commencée.

— Ils ne cessent d'y penser, de s'inquiéter des courants, des conséquences que risque d'entraîner l'ouverture d'une porte, etc. Giorgio retrouvera sa bonne humeur sitôt que l'opération sera terminée.

Je regardai le plan du sous-marin. Giorgio avait couvert de hachures toutes les sections qu'il avait explorées. Je me demandais combien de temps il nous faudrait pour trouver les devises ou le livre de bord, si Londres nous autoriserait à cesser les opérations, ou si M. Smith manifesterait ses intentions.

Ce fut lorsque Joe voulut enfermer le plan du sous-marin dans le tiroir du bureau, qu'il remarqua que celui-ci avait été forcé.

Nous vérifiâmes le fait et, nous asseyant, nous nous mîmes à réfléchir. La boîte métallique vide était encore à l'endroit où nous l'avions laissée, enfermée dans le placard à vêtements. Mais quelqu'un avait volé les photos que nous avions prises.

Dans une situation de ce genre, il n'y a qu'une solution. Elle n'est pas de celles qui enthousiasment le novice, mais caractéristique de ce qui constitue le travail quotidien d'un service de sécurité, qui est plutôt sordide. Joe et moi commençâmes à fouiller toutes les chambres.

En dehors des aperçus que ce genre de fouille donne sur la personnalité de ceux avec lesquels on travaille, il n'y eut cette fois-ci qu'une découverte remarquable. En plus de quelques autres articles qu'une jeune fille ne devrait pas savoir comment se procurer, nous trouvâmes dans la chambre de Charly vingt-cinq cartouches de 7,65.

Joe avait appelé Londres, et on envoya un petit avion civil me chercher à Algarve. La nuit était claire, et j'allai au champ d'atterrissage en passant par la villa de da Cunha.

Les lumières étaient allumées, et devant le portail je vis une Mercedes noire et une Seat. Les deux voitures portaient des numéros d'immatriculation de Madrid, et la plaque E. Plus loin, sous les amandiers, j'aperçus la petite 2 CV de Kondit. Je savais que la motocyclette ne pouvait pas être loin, et je ne tardai pas à l'apercevoir. Je me souvins du proverbe qui dit : « D'Espagne, n'espérez ni bon vent ni bon mariage. » Une sonnette tinta dans la maison, et son écho se prolongea comme un rire de dérision. Je sonnai de nouveau. Da Cunha ouvrit enfin. Une de ses dents d'or brilla à la lumière de la lampe et il sortit de dessous son smoking de velours un paquet marron, toujours dans le même emballage, et aussi lourd qu'un bon conseil. Joe avait laissé le moteur tourner. Je retournai vers la voiture.

Les petits villages étaient plongés dans l'obscurité, à l'exception des porches. Des ampoules de vingt-cinq watts jetaient une lumière jaunâtre sur les meubles sombres et les murs blanchis à la chaux. Par-ci par-là, une bouteille renvoyait un soudain éclat de lumière.

Nous nous heurtâmes aux inévitables ânes chargés de paniers, aux bicyclettes et aux charrettes non éclairées sur les routes enveloppées de ténèbres. J'arrêtai la voiture à l'endroit qui avait été marqué sur ma carte. Des palmiers se découpaient en silhouettes aiguës contre les étoiles. Les arbres pliaient sous le poids des olives, et l'air tiède de la nuit embaumait. J'entendais, tout proche, le ronronnement d'un petit moteur d'avion. Je pris la boîte de métal dans le coffre et je grimpai à bord.

Ce ne fut qu'alors que nous contournions la zone de trafic aérien contrôlée par Bilbao que je remarquai la note que da Cunha avait glissée dans le paquet. Je la montrai à Joe.

Cher Smith,

En avril 1945, le corps d'un marin allemand a été rejeté à la côte à quelques kilomètres à l'ouest. J'ai pris les dispositions nécessaires pour que le mort soit enterré chrétiennement. Ce petit paquet, la seule chose qu'on ait trouvée sur son corps, a été enterré avec lui. Comme les pêcheurs qui ont découvert le corps désirent aujourd'hui qu'il vous soit remis, et comme je considère que le gouvernement britannique a un titre incontestable à sa propriété, j'ai le plaisir de vous le restituer.

Votre obéissant serviteur
DA CUNHA

Vers 3 heures du matin, l'aéroport de Gatwick nous autorisa d'un ton maussade à atterrir parmi ses gros clients. Dans notre petite carlingue, les instruments nous adressèrent une série d'informations chiffrées, puis les lumières d'atterrissage surgirent à travers la pluie d'hiver. Je commençai à me demander avec inquiétude s'il y aurait une chambre pour Joe chez Brown's.

19

Dawlish prit l'objet et le tint sous la lampe. Le
métal verni scintilla dans la lumière artificielle.

— Il vous l'a donné, vraiment ? dit Dawlish. (Il
me jeta un paquet de gauloises.) C'est un véritable
coup de chance.

Le téléphone sonna. Alice annonça qu'elle n'avait
plus de café, et demanda si nous nous contenterions
de Nescafé. Il était 6 h 25. Dawlish lui dit de rentrer
chez elle et d'aller dormir, mais elle voulut absolument nous apporter le Nescafé.

— Des tasses et des soucoupes neuves, à ce que
je vois, Alice, dis-je.

Elle m'adressa un sourire qui ressemblait à un
rayon de soleil un après-midi de Noël. Dawlish lui
tendit le bloc de métal. Il avait huit pouces de long,
six de large, et une épaisseur de deux pouces et un
quart. Les rayures laissées par l'usinage brillèrent
lorsqu'elle le retourna dans ses grandes mains
osseuses.

Un grand trou avait été percé dans le bloc d'acier.
Ajustés exactement à ce trou, il y avait trois disques.
Deux d'entre eux avaient plus d'un pouce d'épaisseur. Alice les fit tomber dans sa main. Les disques
étaient creusés de fines gravures. L'une représentait

un homme à cheval, l'autre un portrait de la reine Victoria. Entre les deux, il y avait un souverain.

Alice examina chaque disque avec soin, puis nous regarda, Dawlish et moi :

— N'est-ce pas comme je l'avais dit, monsieur Dawlish ?

— Oui, vous aviez raison, Alice, dit Dawlish. Le travail des faussaires est remarquable.

— Mais ne vous avais-je pas dit qu'il serait à l'effigie de la reine Victoria, insista Alice.

— Bon, bon, j'ai eu tort, mais l'opération n'est pas encore terminée.

Alice rentra chez elle à 6 h 45, et Dawlish et moi, tout en buvant notre Nescafé, bavardâmes de choses et d'autres, mutations et nominations dans le personnel, crédits pour les services outre-mer, le nombre de jours qui restaient à tirer jusqu'à Noël, et le coût de la vie. Soudain Dawlish remarqua :

— Vous ne vous êtes pas détendu depuis votre arrivée. C'est cette mission qui vous affecte à ce point ?

Ce n'était pas qu'il l'eût changée si je lui avais répondu par l'affirmative. Il aimait savoir à quoi s'en tenir, c'est tout. Dehors, l'aube pointait d'un gris sale.

— Je n'arrive pas à mettre les choses bout à bout. Quelques-unes sont trop évidentes.

— Bah ! c'est une impression que vous avez, dit Dawlish. L'important, c'est de comprendre. Si vous comprenez les symptômes que vous constatez, ils vous mèneront à une seule maladie. Vous voyez un homme qui a mal au pied et au doigt, et vous vous demandez de quoi il souffre pour présenter deux symptômes aussi disparates. Et puis vous apprenez qu'un jour, en tenant un clou, il s'est tapé sur le doigt avec un marteau, et a laissé tomber le marteau sur son orteil.

— C'est ça, dis-je, faites le bel esprit. Laissez-moi plutôt vous rappeler mes problèmes. D'abord, je signe des contrats avec les rebelles qui veulent organiser un coup d'État au Portugal, et comme le Foreign Office voudrait les aider un peu, on m'envoie plonger dans un vieux sous-marin nazi pour repêcher de la fausse monnaie. Jusque-là, c'est clair. Mais pendant que je suis ce satané cours d'homme-grenouille, deux voitures me suivent sur l'A3. À qui appartiennent-elles : à l'insaisissable M. Smith, ministre. Je demande à voir son dossier, mais je ne le reçois jamais…

— Vous le recevrez, dit Dawlish. Il a été simplement retardé.

Je fis une moue désabusée :

— Soit. Il reste ce Butcher qui a vendu le dossier du système à faire fondre la glace.

— Une belle sottise.

— Personne n'était de cet avis-là lorsqu'on l'a acheté. Notre service a payé plus de six mille livres pour l'avoir.

— Cinq mille sept cents, corrigea Dawlish.

— Ah, vous avez vérifié ! Donc, vous aussi, vous trouvez qu'il y a quelque chose de louche…

— Non, pas précisément, dit Dawlish.

— Bien sûr, vous ne l'admettrez pas. Mais vous n'en pensez pas moins.

Dawlish prit un mouchoir et y plongea son nez comme s'il se jetait d'une fenêtre du septième étage dans un drap tenu par huit pompiers. Il se moucha bruyamment.

— Continuez, dit-il.

— Bon, je suis suivi par la voiture bleue depuis Vernon, et par Butcher. Quand j'arrive à Gibraltar, on ouvre notre courrier…

— Je ne m'inquiéterais pas…

— Moi si, déclarai-je avec emphase. Et derrière tout cela, il y a le paternel M. Henry Smith. Quand nous arrivons finalement à extraire quelque chose du sous-marin, c'est une boîte vide, à l'exception d'un billet. Et dans la poche de ce clown d'Américain, on en trouve un autre, d'un numéro voisin.

— Oui, ça, c'était un peu évident, admit Dawlish.

— Évident est le mot. Cela pue.

— C'est un coup monté, reconnut Dawlish.

Je continuai :

— Puis finalement da Cunha me fait une conférence sur les anciennes mœurs portugaises, comme s'il faisait de la publicité pour une agence de voyages, et y ajoute cette matrice en me disant « c'est pour M. Smith ».

— Et qu'en déduisez-vous ? demanda Dawlish.

— Je n'en déduis rien, dis-je. Mais quand je vois un homme arborer l'Union Jack à sa boutonnière et un chapeau de chasse, je commence à me demander pourquoi il est si désireux de me convaincre de ses caractéristiques nationales.

— Que faites-vous de la boîte métallique et de la tombe ?

— J'espère que la boîte n'est pas aussi vide qu'elle le paraît, dis-je.

— Et la tombe ?

— Elle a toujours été vide. Ce n'est qu'un trou dans la terre.

— Car vous savez distinguer un trou dans la terre d'une tombe ? observa Dawlish, sardonique. (Il regarda par la fenêtre.) Il y a de nouvelles instructions concernant vos séances de plongée, dit-il, sans se retourner. Le Foreign Office ne s'intéresse plus aux devises.

Dehors, sur la fenêtre, un sansonnet aspirait à pleins poumons la fumée des Diesel.

— O'Brien ne s'intéresse pas à l'argent, répéta Dawlish.

— Il jongle avec les mots, mais il exagère un peu.

Dawlish essaya de toucher son nez avec sa langue :

— S'il y a des boîtes contenant des documents scientifiques, vous devez les remettre aux gens de l'ambassade sans les ouvrir.

— Et comment saurai-je ce qu'il y a dedans si je ne les ouvre pas ? Vous l'a-t-on dit ?

— Sans les ouvrir, répéta Dawlish.

— Ainsi, cette histoire de glace fondue les préoccupe tout de même ?

— De la glace fondue ? Qui parle de glace fondue ? protesta Dawlish. Ça vous obsède ! Le seul système de fonte de la glace qui les intéresse, c'est un verre de whisky.

— Bon, bon, dis-je, mais essayez maintenant de voir les choses de mon point de vue. L'ambassade, à Lisbonne, voudrait que cette mission soit menée à bien et nous classe dans les BB 8. On nous a dit qu'on nous a choisis parce qu'il faut faire les choses à l'insu du gouvernement portugais. Cela signifie que je ne peux pas prendre de renseignements sur tous ces gens-là : da Cunha, Harry Kondit, et la petite éminence grise Fernandes Tomas, sans risquer une fuite. Vous savez ce qui se passerait si je demandais quelques informations à l'Interpol – tous les télé-phones de Lisbonne entreraient aussitôt en action.

— Ma foi, dit Dawlish, je comprends leur point de vue : ils ne veulent se brouiller avec personne.

— Oui, c'est bien ça. C'est par définition la position d'une ambassade, n'est-ce pas ? Ne se brouiller avec personne. Ne ruinez pas les efforts que nous avons faits, etc. Mais cela ne vous paraît-il pas curieux que les gens de l'ambassade à Lisbonne non seulement prennent l'initiative de nous attirer dans ce pétrin, et nous disent *à nous* de ne pas faire savoir aux Portugais que nous faisons quelque chose d'irrégulier, mais nous font ensuite toute la publicité possible ? Envoyer un type comme Singleton, et cette fille !

— Et que voulez-vous que je fasse, à propos de Singleton ?

— Le renvoyer d'où il vient.

— Ne remettons pas ça sur le tapis, dit Dawlish. Je sais que vous ne me croyez pas, mais j'ai fait l'en-quête moi-même. Il n'y a rien. Singleton est peut-être un hurluberlu, mais il n'est rien d'autre que le jeune adjoint de l'attaché naval, et aussi normal qu'une feuille d'impôt. École préparatoire, Dartmouth, bonnes notes sur toute la ligne. Puis la flotte de la Méditerranée. Que puis-je faire de plus ?

— Une chose, dis-je. Gardez cette matrice dans votre tiroir et ne parlez pas de sa découverte sans mon accord. Que cela reste un petit secret entre les gens de ce bureau.

— Et le senhor da Cunha, observa Dawlish, en sorte que je sus que ma demande était accordée. (Il ne s'engageait jamais verbalement à passer outre à un règlement.)

Il continua, comme si je n'avais pas parlé de la matrice.

— La fille est fille d'amiral : écoles appropriées, elle vit à Lisbonne excepté quand elle va à Naples avec son père. Vacances en Méditerranée. Vous devriez être content. Lisbonne c'est distingué. C'était une bonne idée, avouez-le. Vous n'auriez pas pu prendre de femme de ménage étant donné la nécessité du secret. Vous devriez, tous tant que vous êtes, passer votre journée à lui essuyer sa vaisselle.

Je reniflai.

20

Mon appartement à Southward était froid quand j'y arrivai à 8 heures du matin, après avoir discuté toute la nuit avec Dawlish. Je payai mon taxi, et j'eus de la difficulté à ouvrir la porte d'entrée en raison de tout le courrier accumulé sur le paillasson. C'était la rengaine habituelle. Une mise en demeure de payer, péremptoire, de la perception, une sollicitation patiente d'Electrolux : je leur devais treize livres, j'entendais presque leur soupir. De la publicité pour Lux. Une carte postale de Munich sur laquelle l'expéditeur regrettait que je n'y fusse pas, et une lettre du gérant m'avertissant que mon ballon d'eau chaude avait une fuite.

J'allumai le radiateur soufflant, je mis de l'eau à bouillir, et je déclenchai le moulin à café. Pendant que j'attendais que le café passe, j'appelai le bureau, je donnai le mot convenu puis je dis à la standardiste :

— Si M. Mac Intosh téléphone, dites-lui de se trouver une voiture et de venir me chercher vers 4 heures de l'après-midi.

— Compris, dit l'opérateur.

— S'il n'a pas téléphoné à midi, transmettez-lui le message au Brown's.

Je versai une généreuse rasade de whisky dans du café noir très sucré. La nuit sans sommeil

115

commençait à me peser sur le crâne. Il était 8 h 45. J'allai me coucher juste au moment où ma voisine ouvrait sa radio pour l'heure musicale des ménagères. À l'étage au-dessus, un aspirateur se mit à geindre. Je sommeillai.

Je regardai ma montre dans l'obscurité. La sonnette de la porte tintait. J'avais dormi huit heures, et Joe Mac Intosh était à la porte, impatient de voir de près la vie nocturne de la capitale. Il avait un des taxis du parc autos. Ils étaient réglés de manière à pouvoir dépasser le 150 à l'heure, et Mac Intosh était pressé de savoir ce qu'on pouvait en tirer.

Je pris une douche tiède, ce qui était ma façon personnelle de réintégrer le monde conscient. Puis je m'habillai en vue d'une tournée dans les bas-fonds de Soho, en pantalon sombre et chemise de laine noire, avec un trench-coat capable de résister à l'aspersion de n'importe quel alcool maison.

C'était un plaisir de voir Joe manipuler le vieux tacot. Ses grandes mains caressaient les commandes, et nous nous faufilâmes à travers les voitures avec une sorte d'allégresse inhabituelle chez Joe.

— Notre génie du compromis, dit-il paisiblement en grimpant l'enjambement de Chiswick, n'apparaît jamais aussi clairement que lorsque nous roulons à cheval sur deux voies.

Il klaxonna délicatement, donna un coup de volant pour passer sur la voie la plus rapide, et monta jusqu'à soixante-dix, avec une accélération qui faillit me jeter bas de mon siège. Il se servait de la boîte de vitesses à baladeurs dont étaient encore équipées ces vieilles voitures avec une merveilleuse habileté.

Lorsque nous arrivâmes à l'aéroport, il gara la voiture tout au bout de la file de taxis, et enfila un gant sur le drapeau d'une façon très convaincante. Ma VW était coincée tout au fond du parc de stationnement réservé au ministère de l'Air. Joe me proposa d'aller la chercher.

Il n'était que 6 h 30, mais la nuit était déjà tombée et je sentais des gouttes de pluie s'écraser sur mes épaules. Je lui donnai la clef, et j'allai jusqu'au kiosque à journaux, parcourir quelques gros titres. *Pas d'impôts sur les gains de capital cette année. C'est officiel.* Les Américains projetaient d'envoyer un singe dans la lune. La nouvelle Wehrmacht voulait des armes nucléaires. Lady Lewisham se plaignait du manque de propreté des tasses à thé, et le ministre des Finances déclarait qu'il était impossible d'augmenter le montant des retraites. J'achetai *Esquire*, et je m'en allai sous la pluie fine qui s'était mise à tomber. Il y avait des lumières autour du parc de voitures ; je vis que Joe avait déplacé suffisamment de véhicules pour dégager le mien.

Un Viscount descendit vers la piste d'atterrissage, et ses feux blancs, verts et rouges parurent jouer à cache-cache avec les lumières de l'aéroport. Sa forme sombre passa au-dessus de moi avec un sifflement, et j'entendis ses roues toucher le goudron. Joe était tout au bout de l'enclos. Il ouvrit la porte de la VW, monta dans la voiture et alluma les phares. La pluie hachait le faisceau de lumière.

De l'intérieur de la voiture jaillit une clarté intense. Chaque glace était un rectangle de blancheur aveuglante, et la porte, du côté de Joe, s'ouvrit très vite. Le souffle de l'explosion m'envoya par terre comme un pantin.

« Marche tranquillement, il ne faut pas courir », me dis-je. Je remis mes lunettes, et je me relevai. Un courant d'air froid m'avertit que mon pantalon était déchiré. Des gens couraient vers le parc de stationnement. L'explosion avait mis le feu à la voiture voisine. Les flammes éclairaient tous les alentours, et une cloche sonna tout près. J'entendis le gardien crier :

— Deux types sont allés par là, deux.

En arrivant à la station de taxis, j'avais mes clefs à la main. J'en choisis deux. La première était celle du dispositif antivol, la seconde, celle de l'allumage. Je mis le moteur en route et je dégageai la voiture en marche arrière. Du parc à voitures provint une seconde explosion : c'était le réservoir à essence. Je tournai autour du sens unique :

— Pas par ici, mon vieux, me dit un des agents de l'aéroport.

Les paumes écorchées de mes mains me brûlaient et le volant était tout gluant de sang et de sueur. J'allumai la radio, attendant que les lampes chauffent.

— Qu'est-ce qui se passe par là ? demandai-je à l'agent.

— Circulez, répondit-il.

Je franchis le tunnel, quittant l'aéroport. Par précaution, je tournai à gauche en atteignant la grand-route avant de me servir du poste émetteur-récepteur.

Ils répondirent vite : Allez-y, Oboe 7. À vous, dit le radio.

— Oboe 7 à Provisional. Message. Noir. Aéroport de Londres, parc de voitures du ministère de l'Air. Un étudiant : Mac Intosh. Aplati. Ciseaux[1]. À vous.

---

1. Traduction du code. Noir : très urgent. Étudiant : agent. Aplati : mort. Ciseaux : violence.

— Provisional à Oboe 7. Où êtes-vous ?

— Oboe 7. A4, près de Slough. À vous.

— Merci, Oboe 7. Terminé. Provisional reste à l'écoute.

Quand Dawlish me parla au radio-téléphone, il montra une inquiétude touchante concernant ma sécurité, mais n'en oublia pas moins de me demander d'abord le numéro de ma compagnie d'assurances.

— Nous ne pouvons pas nous permettre qu'ils viennent fourrer leur nez dans cette affaire avant d'avoir envoyé un D aux journaux[1].

Je ne tardai pas à passer maître dans la technique du double débrayage.

_____

1. D : questions de défense censurées.

21

Le jeudi était ensoleillé, et les policemen bayaient aux corneilles comme des touristes. Dans Jermyn Street, deux petits vieux étaient en extase devant les fromages de Paxton et Whitfield. Ils jouaient sur un banjo à cinq cordes et un accordéon une vieille rengaine dont les notes fragmentaient l'air froid en éclats translucides et fragiles, comme la glace d'un étang. Jane m'attendait chez Wilton's. Elle portait un tailleur de chez Chanel, marron foncé. Comment s'y prenait-elle pour s'habiller de cette façon avec son traitement de fonctionnaire ? Elle avait commandé un xérès anémique pour moi, et m'apportait des nouvelles du rapport Strutton.

— O'Brien est en train de constituer un de ses fameux petits comités, dit-elle.

— Seigneur ! soupirai-je, je ne sais que trop ce que cela signifie.

— Cette fois, tu as une bonne planque, dit Jane. La corvée retombe sur Dawlish. Ils doivent discuter des pouvoirs respectifs des ministères.

— La soif du pouvoir, dis-je. Lord Acton ne plaisantait pas.

— Même le ministère de la Guerre s'efforce de figurer dans le projet de loi.

— Mais ça ne relève absolument pas de sa compétence.

— Tu sais bien que, s'ils ne se livrent pas à un baroud d'honneur pour les choses qui ne les intéressent pas, ils n'ont plus de monnaie d'échange pour ce qui les intéresse.

— Tu m'as l'air d'être un expert en matière de relations interministérielles.

Jane sourit :

— Une femme comprend ces choses-là d'instinct.

La serveuse nous apporta le célèbre menu du Wilton's, sans indication de prix. Je n'ai jamais eu l'outrecuidance de demander autre chose que ce que le chef recommandait, et ce n'était pas le jour d'engager une épreuve de force.

Le melon était consommé, et le saumon frais aussi, avant que Jane ne parlât du paquet que da Cunha m'avait remis.

— Alice avait même prédit que le souverain porterait l'effigie de la reine Victoria. C'était génial, non ?

— Génial.

— Mais qu'est-ce qui lui a permis de deviner juste ?

— Je n'en ai pas la moindre idée.

— Mais si. Je t'en prie, dis-le-moi.

— Parce que la reine Victoria est une femme.

— Était une femme, corrigea Jane.

— N'ergote pas : en ce qui concerne les souverains, elle est une femme.

— Et alors ?

— Les pays arabes, ou plus généralement musulmans, font une grande consommation de souverains. Tu es d'accord ?

— Oui.

— Les musulmans trouvent une femme dévoilée indécente. C'est pourquoi la plupart des souverains représentent un roi. Donc, un souverain à l'effigie de la reine Victoria est vraisemblablement authentique. C'est pourquoi les nazis ont décidé de faire de faux souverains à l'effigie de la reine Victoria.

— Et ça marche ?

— Au moment où ils ont conçu leur entreprise, c'était un trait de génie. Depuis, les pièces ont été retirées de la circulation. Mais comme la monnaie fausse et la vraie ont la même valeur marchande dans cette affaire, personne ne s'en soucie.

— Et Alice a deviné que les faussaires étaient les nazis ?

— J'ai envoyé un message à Dawlish pour obtenir la franchise diplomatique pour le paquet, en donnant les dimensions, et le poids. Alice en a tiré la déduction qui serait normalement exacte.

— Normalement ?

— En apparence, selon la logique. Mais il ne faut pas conclure trop vite. Il n'y a pas de marque de fabrique sur la matrice, ni rien qui permette de dire qu'elle provient du sous-marin allemand, ni d'aucun autre endroit.

— Je vois, dit Jane. Tu penses que ces gens à Albufeira t'ont donné cela simplement pour se débarrasser de toi. En fait, ce serait une sorte de pot-de-vin. Ils ne s'attendaient pas à ce que tu croies qu'elle vient du fond de la mer.

Jane s'interrompit, puis reprit :

— Ou encore, ils te l'ont donnée parce qu'ils ont cru que tu représentais Smith, et qu'ils veulent acheter Smith, pour qu'il fasse quelque chose pour eux.

— Ou s'abstienne de faire quelque chose, fis-je.

Elle releva la tête :

— Oui, dit-elle, doucement, détachant ses mots : afin qu'il s'abstienne de poursuivre les recherches.

— Bravo, dis-je, tu as l'esprit encore plus vif que Dawlish.

— Ce da Cunha prétendait que la matrice avait été retrouvée sur le corps d'un marin allemand pris dans un filet de pêche. Mais ils ne pêchent pas au chalut autour du sous-marin. Ils pêchent à l'américaine, en encerclant le poisson.

— À l'essaugue, c'est ça. Tu m'as bien compris, et la matrice ne provient pas du cadavre d'un marin allemand.

Jane remarqua :

— Si c'est un pot-de-vin, il est de taille. Ça doit valoir cher ?

— Oui, on peut frapper jusqu'à cinquante mille pièces avec une bonne matrice, et celle-là est bonne. Elle vaut beaucoup d'argent, surtout pour quelqu'un qui s'occupe de trafic d'or clandestin.

— Et, une fois que tu es parti à Londres avec la matrice, ils se sont rendu compte que tes équipiers continuaient à plonger et à explorer le sous-marin, et ils ont mis de la dynamite dans ta voiture ?

— Non, dis-je, cette explosion a été préparée longtemps à l'avance par des gens qui savaient où je gare ma voiture. C'est du travail de spécialiste. Je ne pense pas qu'il y ait un rapport direct entre le paquet que m'a remis da Cunha, et la bombe qui a tué Joe. C'est plus compliqué.

— Mais qui est ce da Cunha ?

— Essaie de l'imaginer. Il parle un portugais impeccable : sa syntaxe et sa prononciation sont merveilleuses. Il s'habille dans le meilleur style de l'aristocrate portugais. J'ai mangé chez lui : cuisine garantie locale. Et c'est un des plus grands experts d'Europe en histoire et folklore portugais.

— Tu veux dire qu'il n'est pas portugais parce qu'il l'est avec tant d'insistance ?

— J'ai mon idée, ripostai-je.

— Tu travailles du chapeau, répliqua Jane grossièrement. Mais dis-moi plutôt ce que tu veux que je fasse ?

— Je voudrais qu'un des gars du cinéma aille prendre des vacances au Portugal, lui répondis-je, et je lui donnai les détails de mon plan.

— Mieux vaut envoyer Victor, déclara-t-elle. Il a un passeport suisse, et c'est un type qui sait éviter les ennuis.

— Bonne idée, dis-je. Nous avons eu suffisamment d'ennuis comme ça pour le moment.

Jane se tut pendant un instant, puis remarqua à voix basse :

— Je tuerais volontiers la personne qui a assassiné Joe.

— Je n'ai pas entendu, dis-je, en la regardant fixement. Si tu veux continuer à travailler dans ce service, il ne faut même pas qu'une chose comme ça te vienne à l'idée et, encore beaucoup moins, la dire. Il n'y a pas de place chez nous pour l'héroïsme, les vendettas, et le mélo. Ce qui compte, c'est l'efficacité dans le travail. On t'envoie faire un boulot, tu te fais tirer dessus, et tu continues comme si de rien n'était. Suppose que je me sois laissé aller à des émotions patriotiques et corporatives, et que j'aie essayé de porter secours à Joe hier soir. Je me serais retrouvé suffoqué de fumée, avec des brûlures, au milieu d'un nuage de journalistes et d'agents. Si tu ne te comportes pas d'une façon adulte, je te fais limoger.

— Je suis désolée, dit-elle.

— C'est bon. Mais ôte-toi de la tête cette vieille idée de justice rétributive. N'espère pas que le gâchis dans lequel nous nous débattons se termine jamais par une confrontation des bons et des méchants où chacun recevra son dû comme au Jugement dernier. Une fois que nous serons tous morts et oubliés, il y aura toujours un bureau, et les mêmes paperasses jaunies imperturbablement classées avec la même routine administrative. Donc, fais ton boulot et sois contente si tu n'y laisses pas trop de plumes. Ne souhaite pas la vengeance, et n'imagine pas que, si l'on t'assassine, les survivants vont se mettre à pourchasser ton assassin. Ils ne le feront pas. Notre seul souci, c'est de ne pas figurer dans les colonnes des journaux.

Jane était résolue à prouver qu'elle savait maîtriser ses émotions.

— L'officier de liaison de Scotland Yard a envoyé des photos de la voiture. Les as-tu vues ?

— Oui, ils me les ont données encore humides hier soir. À propos, remercie Keightley : il s'est bien débrouillé, il n'y a pas eu le moindre entrefilet dans les grands quotidiens.

— Oui, dit Jane, tout le bureau était occupé à écrire des avis marqués D. Il y a quatre voitures endommagées. Si les gens du Yard ont raison en ce qui concerne l'emplacement des explosifs, c'est comme si quelqu'un avait voulu créer un incendie.

— Vraiment ? Où se trouvaient-ils ?

— Sous le capot, sous le toit mobile, derrière le siège arrière, entre les sièges avant.

Le rimmel, autour de ses yeux, avait légèrement coulé. Elle repoussa ses cheveux, renifla et me sourit :

— Et ma veste en daim vert ?

Je payai la note, et nous nous dirigeâmes vers Piccadilly :

— Tu choisis toujours le moment où je suis à moitié engourdi par l'excès de nourriture et de boisson pour m'arracher des promesses, dis-je pour la taquiner.

Elle m'adressa un petit sourire qui manquait de conviction. Je lui pris le bras :

— Je retourne à Lisbonne ce soir. Je veux que tu envoies la boîte en métal vide au *Home Office Forensic Science Laboratory*, à Cardiff. Ces gars connaissent leur affaire. Tu m'as donné une bonne idée, Jany, je crois que je sais maintenant pourquoi on a fait sauter ma voiture.

Je proposai de lui chercher un taxi, mais Jane refusa. Devant Fortnums, je lui serrai le bras :

— Ça a dû être instantané, dis-je.

Jane se moucha, et regarda obstinément ses chaussures.

22

Pow Pow Pow. Le son aigu du klaxon d'une voiture continentale déchira l'air du matin. La 2 CV de Kondit était devant la gare d'Albufeira.

— Salut vieux, montez. J'ai dit à vos gars que je viendrais vous chercher. Ils sont en train de plonger, et Charly est partie aux provisions.

Je me demandais quel génie de l'indiscrétion avait permis à Kondit de se familiariser aussi rapidement avec notre emploi du temps. Mais était-il possible de garder des expéditions de plongée secrètes dans une aussi petite ville ? Cela rendait l'aventure plus dange-reuse encore. Nous roulâmes rapidement le long de la route ensoleillée. Les figuiers avaient perdu presque toutes leurs feuilles, et se dressaient nus et argentés au milieu des champs rougeâtres.

— Eh bien, Harry, quoi de neuf ?

Peut-être devrais-je prévenir Londres de nous fournir des alibis au cas où les choses se mettraient à mal tourner. Nous passâmes à côté de l'usine de conserves.

— Je viens de recevoir de nouveaux disques de jazz d'Amérique. Du trépidant. Venez prendre un verre ce soir, et amenez des boules Quiès.

Je dis merci à Kondit, et il démarra en tressautant sur les pavés, pour rentrer chez lui. Je pénétrai dans la maison. Malheureusement pour Charly, elle fut la première personne de la maisonnée à laquelle je me heurtai. Elle nettoyait du poisson dans la cuisine, vêtue d'un bikini blanc microscopique.

— Comment, c'est vous, chéri ! s'exclama-t-elle dans le meilleur style de la vamp cinématographique.

— Vous ne pouvez pas vous contenter d'être belle ? grommelai-je.

— Et me taire ? (Elle fronça le nez.) Allons bon, qu'est-ce qui ne va pas, grand chef ?

— D'abord pourquoi aucun de vous n'a-t-il trouvé le temps de venir me chercher ? Ensuite, je n'aime pas beaucoup que Kondit me raconte, en me ramenant ici, où en sont les plongées.

— Où elles en sont ? Allons, mon chou, avouez qu'il ne vous a pas dit *où elles en sont*.

— Non, admis-je. Mais il m'a dit que les gars plongeaient. Et les consignes de sécurité ? Qu'est-ce qu'il a encore réussi à tirer de vous ?

— Il a fait devant nous ce qu'il vient de faire devant vous : prononcé le mot « plongée », pour voir quelle serait notre réaction. Qu'est-ce que vous vouliez que nous fassions ? Lui dire que nous allions pêcher à la ligne ?

— Je n'aime pas ça.

— Vous ne pouvez pas espérer que les pauvres sots que nous sommes aient du génie en l'absence du grand chef. Il ne fallait pas nous quitter.

— Ça va, Charly, allez plutôt mettre quelques vêtements. Tant de chair dans une cuisine, c'est révoltant.

— Personne ne s'est plaint jusqu'ici, riposta Charly.

Elle passa devant moi pour gagner la porte, son corps épanoui frôlant le mien.

— Jusqu'à présent, conclut-elle me léchant du bout de sa langue. Hé, hé, vous avez la respiration embarrassée, grand chef, murmura-t-elle à quelques pouces de ma bouche, d'une voix enrouée.

— Filez, Charly, j'ai suffisamment d'ennuis comme ça.

Mais elle avait raison. J'avais le souffle court.

— J'ai entendu dire que vous aviez une petite secrétaire tout ce qu'il y a de plus sexy à Londres, chéri.

— Sexy ? Ce n'est pas le terme que j'emploierais. Elle a deux enfants, un triple menton, elle pèse ses cent kilos, boit comme un trou, et copie les recettes de cuisine de la télévision.

Charly rit :

— Menteur ! Vous avez oublié une photo d'elle dans la poche de votre chemise la semaine dernière. Je l'ai vue.

— Vous lavez nos chemises *aussi* ?

— Bien sûr. Qui sinon ? Mais ne changez pas de conversation. J'ai vu la photo de votre allumeuse : elle sent le mariage à cent mètres.

— Cent mètres de vous, ça me suffit, dis-je.

— Alors cessez de m'enlever mon maillot de bain des yeux, riposta Charly.

— Quel maillot de bain ?

On frappa à la porte. Je m'écartai d'elle. C'était un gosse du village, qui allait quelquefois acheter du poisson pour Charly. Il me demanda si je voulais qu'il lave la voiture. Oui, je voulais bien. Je me dirigeai vers la Victor en sa compagnie, en me disant que la note de location devait être en train d'augmenter à vue d'œil. Le gosse tira du néant un seau et un chiffon, et se mit à nettoyer le pare-brise. Je m'étais assis dans la voiture, et j'engageai la conversation : Connaissait-il Harry Kondit, da Cunha et Fernie Tomas ? Oui, il les connaissait tous. Le thon était-il bon à cette époque de l'année ? Pas mauvais, mais il ne valait pas celui du mois de juillet. Faisait-il quelquefois des courses pour ces gens-là ? Non, c'étaient de trop grands seigneurs. Accepterait-il de me rendre un petit service ? Bien sûr. Et n'en parler à personne ? Il serait muet comme une tombe. Je faisais bien de m'adresser à lui. Savait-il chez quel coiffeur le senhor Tomas se faisait couper les cheveux ? Augusto savait : il passait ses loisirs à observer le va-et-vient des gens en ville.

Je lui dis qu'il me fallait une boucle des cheveux du senhor Tomas. Une petite mèche de cheveux qu'il devrait prendre sans que personne s'en aperçoive. Ce serait notre secret à tous les deux, et je l'en récompenserais par cinq escudos.

— Pour emporter « *o paiz dos fadas* » ? me demanda-t-il.

Oui, dis-je en pensant à Charlotte Street. C'était pour emporter au pays des fées.

Je commençais à me demander comment j'allais leur annoncer la mort de Joe.

23

Giorgio et Singleton revinrent à 3 h 30, et déjeunèrent rapidement de rouget grillé à la sauce au beurre portugaise. Je n'aimais pas jouer les pères tyranniques, mais je fis observer que Kondit se mêlait un peu trop au cercle de famille.

— Vous ne le soupçonnez pas d'être un espion de Salazar ? protesta Singleton.

— Personne n'est à l'abri de mes soupçons, monsieur Singleton, pas même vous, répondis-je.

Et personne ne sourit. Ils savaient que je ne plaisantais pas.

Nous mangeâmes en silence, puis, tandis que Charly débarrassait la table, elle dit :

— Harry Kondit a acheté, ou emprunté, un bateau avec cabine de quinze mètres de long.

— Sans blague, dis-je.

Charly avait été porter les assiettes dans la cuisine. Elle cria :

— Le voilà qui entre dans la baie.

Nous allâmes tous sur le balcon pour le regarder. En bas, ouvrant un sillage scintillant dans l'eau, une grande vedette à moteur, blanche et rouge, jetait une ombre sur la mer dans le soleil oblique de cette fin d'après-midi. De la timonerie, nous vîmes surgir une casquette souple, bleue, douce, et nautique, tandis

que le visage bronzé de Harry Kondit nous saluait
d'un large sourire. Nous vîmes ses lèvres remuer.
Charly mit la main en pavillon derrière l'oreille, et
Kondit cria de nouveau. Mais le vent de mer entraînait ses paroles dans l'autre direction. Il disparut à
l'intérieur de la vedette, dont le moteur tournait juste
suffisamment pour la maintenir en position et éviter
qu'elle ne présentât le flanc à la houle. Harry resurgit
avec un haut-parleur.

— Allons, espèce de culs-terreux, cria la voix
métallique par-dessus l'eau, remuez vos postérieurs
et amenez-vous par ici.

— C'est vraiment un homme très vulgaire, dit
Charly.

— Insupportable, déclara Singleton.

— J'ai dit qu'il était vulgaire, riposta Charly, mais
je n'ai pas dit que ça me déplaisait.

Giorgio souffla sur le bout allumé de son cheroot.
Nous allâmes tous vers le hors-bord. Le starter
cracha, et le moteur se mit à vrombir tandis que nous
filions vers la vedette.

— Êtes-vous sûr que nous sommes en sécurité
avec vous, monsieur Kondit? demanda Charly.

— Bon sang! combien de fois faudra-t-il que je
vous répète de m'appeler…

— Harry, corrigea Charly.

— Eh bien, Charly, vos copains sont en sécurité.
Vous pas.

Il poussa sa casquette en arrière et se mit à rire
bruyamment.

À l'intérieur, la cabine-salon était plaquée en
acajou. Il y avait des rideaux de couleur éclatante,
et de la musique douce. Les règlements nautiques
devaient avoir été jetés par-dessus bord par Kondit.

Le long du mur, je vis un évier en acier inoxydable, et un réfrigérateur. Dans un coin se dressait un poste de télévision à écran géant. Nous nous laissâmes tomber dans les fauteuils pendant que Kondit dosait religieusement un mélange de vodka et de vermouth.

— Qu'est-ce que c'est que tout ça, Harry ? demanda Charly regardant les drapeaux de signalisation qui décoraient les murs.

— C'est un moyen de parler à distance. Vous agitez les drapeaux et…

— Je sais, dit Charly. Je connais la fonction des drapeaux de signalisation. Je veux dire, que signifient ceux-là ?

— Ceux-là ? C'est un code international qui signifie : autorisation vous est accordée d'aborder, déclara Harry, se penchant vers Charly.

Elle étouffa un rire.

— C'est très nautique, Harry, il faudra que je m'en souvienne.

Je vis Singleton faire une moue de mépris, sans savoir si elle s'adressait aux connaissances nautiques de Kondit, ou à son sens de la galanterie.

— Je vais vous faire visiter le pont, dit Harry.

Je restai seul. Le disque se termina. L'électrophone stéréophonique, en une série de craquements, se prépara pour le disque suivant. L'eau clapotait autour de la coque avec des gargouillements de dérision. J'entendis Singleton dire : « Ainsi, c'est le siège du conducteur ? » Kondit répliqua : « Yep », et je me demandai jusqu'à quel point les sarcasmes rebondissaient sur son bon naturel, et combien d'entre eux s'enfonçaient dans son cœur comme des épines empoisonnées. Miles Davis se mit à remplir la cabine de flots d'harmonie.

Je montai sur le pont. Sur le gaillard d'avant, j'entendis Charly crier : « Je tombe ! je tombe ! » d'une façon qui ne trompait personne, et je vis Giorgio la retenir dans une étreinte qui leur convenait à tous les deux. Derrière moi, sur le pont, Singleton admirait le radar et la sonde électronique.

— Oui, monsieur, disait Kondit, une ancre électrique. Ici. Ça se manœuvre avec ces boutons-là.

J'entendis un ronronnement et je sentis le grand bateau flotter librement sur la marée descendante.

— Et il y a un starter automatique, ajoutait Kondit.

Le moteur vrombit. Kondit manipula les commandes, et l'hélice se mit à battre l'eau. Nous cinglâmes vers le large.

Kondit tenait le gouvernail d'une main ferme de propriétaire. Il mordillait un gros cigare et nous sourit du haut de son tabouret :

— Vous autres Britanniques avez eu suffisamment longtemps la maîtrise des mers. Pour une fois, c'est quelqu'un d'autre qui tient la barre, proclama-t-il. Puis il nous versa une autre tournée de cocktails, d'une grande cruche décorée de pirates dansant au son de la cornemuse avec pour légende : « Hissez la grand-voile mes petits cœurs. » Nous formions un tableau aussi paisible que ceux des publicités de bière.

24

Après dîner, ce soir-là, Giorgio me montra sur le plan quelles parties de la coque du sous-marin avaient été fouillées. Charly fit du café, et nous bavardâmes en buvant le cognac du pays.

Un sous-marin destiné à naviguer dans l'océan est une énorme machine. Il pèse plus de mille tonnes, a plus de cent mètres de long ; il n'était donc pas difficile de comprendre pourquoi seule une toute petite partie du plan était couverte de hachures indiquant qu'elle avait été explorée. Giorgio avait ramené peu de choses à la surface. Il y avait des lunettes à verres rouges, que les hommes de quart mettaient à la nuit tombée pour habituer leurs yeux aux ténèbres avant de prendre leur poste. Il y avait un petit tube marqué « Pervitin », le stimulant employé par les Allemands, et trois cartes allemandes des côtes espagnoles. C'était cela qui m'intéressait le plus. Car bien que ce fussent les cartes classiques en usage dans la marine allemande, l'une d'elles portait des chiffres inscrits au crayon à bille dans un coin du papier. Il y avait le nombre 127 342 multiplié par 9 748, et le produit de la multiplication.

Des cartes fanées, déchirées, ondulées par une longue immersion, datées de 1943, qui n'ont pas vu le jour depuis 1945, ne devraient pas porter d'inscriptions au crayon à bille, pensais-je.

La fouille était terminée du côté bâbord du poste de manœuvre, et commencée dans les cabines des officiers. Le compartiment suivant était le poste d'équipage, mais avant de nous attaquer à lui, nous entreprendrions d'abord la fouille du côté tribord du poste de manœuvres. Giorgio dit qu'elle serait plus difficile. La cloison séparant le poste de manœuvres des cabines des officiers s'était déplacée, entraînant un effondrement du plancher à bâbord de chaque côté de la cloison. Sous le plancher surgissait tout un fouillis de boîtes de batteries brisées, de bouteilles d'air comprimé déchiquetées, le tout recouvert d'une épaisse couche de mazout qui s'était répandue par les fentes du réservoir de carburant. Une fouille sérieuse obligerait les plongeurs à se lancer à l'aveuglette dans cet amas de débris sales et coupants, avec des mains nues, rendues vulnérables par une immersion prolongée. Il n'était pas étonnant que Giorgio eût différé cette fouille avec l'espoir que nous trouverions ce que nous cherchions avant d'avoir à nous risquer à tribord.

Ces jours de travail en commun avaient rapproché Giorgio, Singleton et le vieux pêcheur, et je me sentis un peu un intrus lorsqu'ils se mirent à raconter des histoires, et à assiéger Charly, qui les tenait adroitement à distance.

— C'était un millionnaire, cet homme, racontait Giorgio. Je lui apprenais à nager sous l'eau. Vous n'avez pas besoin de tout ça, lui ai-je dit. Il n'a pas voulu m'écouter. Il achète l'équipement américain, une combinaison en caoutchouc rouge vif, des palmes, une sonde, une montre-bracelet étanche. Et fixe une boussole sur son bras. Plus un fusil à sandow pour la pêche, qui me terrifiait, je vous jure. Il emporte tout cela en plus de ses bouteilles, et une petite ardoise avec un crayon qui écrit sous l'eau. Il a fallu que je réajuste sa ceinture de lest pour tenir compte de tout ce poids. Il plonge, en soufflant comme un phoque, et une fois qu'il est au fond, un autre homme va le rejoindre. Tout ce qu'il a, c'est un tout petit maillot de bain grand comme ça.

Giorgio le mesura avec ses mains en jetant un regard malicieux à Charly.

— Très petit. Rien d'autre, pas de masque, pas de tuba, pas de fusil, pas d'habit isothermique. Rien qu'un petit caleçon. Mon ami millionnaire va vers lui et écrit sur sa petite ardoise : « Hé, qu'est-ce que vous faites là ? J'ai pour six cents dollars d'équipement spécial sur le dos, et vous plongez sans rien. Que faites-vous ? Comment osez-vous ? »

L'auditoire était suspendu à ses lèvres.

— Et qu'a-t-il dit ? demanda Charly.

— Il n'a rien dit, répondit Giorgio. On ne parle pas sous l'eau. Il a pris la petite ardoise avec le crayon spécial pour écrire sous l'eau. Il a lu le message de mon ami millionnaire, et il a écrit : « Mamma, je me noie ! »

Charly déclara :

— Je ne vous donne plus de café.

Mais je remarquai que Giorgio ne se souciait guère du café. Il ne cessait de revenir au cognac. Il n'est pas bon pour un plongeur de trop boire. Une thermos de vin chaud ou de cognac après la plongée pour rétablir la circulation est chose. Boire le soir pour dormir, c'était quelque chose de très différent.

La conversation continua tandis que Charly apportait du café frais. Giorgio nous parla de son oncle :

— Il n'aimait pas l'eau. Il ne prenait jamais de bain, parce qu'il avait peur de glisser et de se noyer dans sa baignoire. Et puis un jour, il a fait boucher le trou d'un des énormes pots en terre cuite qui servent à planter des citronniers. Et c'est comme ça qu'il a pris un bain. Mais il n'a cessé, de tout le temps qu'il était dans l'eau, de garder un marteau à la main, disant que s'il se sentait glisser, il casserait la terre cuite avec le marteau, avant de se noyer.

Puis Giorgio nous parla de l'*Artiglio*, quand les Italiens s'efforçaient de repêcher l'or de l'*Egypt*. Il nous raconta comment ils paradaient deux fois par jour en chantant l'hymne fasciste *Giovinezza*, mais Giorgio ne fit qu'effleurer les années de guerre, et Charly refit pour la troisième fois du café. Giorgio en était à sa deuxième bouteille de cognac local, et il se mit à discuter avec Singleton des techniques de plongée. Soudain, on frappa à la porte.

Charly dit : « J'y vais », mais je la gagnai de vitesse.

Je m'étais dit que c'était peut-être le gamin, avec la commission dont je l'avais chargé. C'était lui en effet. Il me tendit un morceau de journal, dans lequel il avait enveloppé la mèche de cheveux de Fernie. Je le remerciai, et je l'envoyai me chercher un paquet de cigarettes.

— Qui est-ce ? demanda Charly.

— Un gamin. Je lui avais dit d'aller m'acheter des cigarettes cet après-midi. Il m'a apporté des bouts filtre.

— Prenez un cigare, offrit Giorgio.

— Merci, j'ai encore des cigarettes. C'est le gamin qui m'a empoisonné pour que je lui donne quelque chose à faire.

— Je vous ai vu bavarder comme deux frères, remarqua Charly, et ça m'a étonnée : ce gamin suit cet épouvantail de Fernie comme son ombre.

— Suit Fernie comme son ombre, répétai-je, luttant contre la crise de nerfs. De tous les enfants de la ville, il avait fallu que je choisisse celui-là pour ma mission !

Giorgio recommença à parler de la plongée et, approuvé par Singleton, déclara que le tuyau d'air rendait tous les travaux difficiles, presque impossibles.

— C'est un cordon ombilical, dit Giorgio.

— Mon oncle prétendait qu'Atropos tenait ses ciseaux constamment ouverts près du tuyau d'air, renchérit Singleton.

— Atropos ? Qui c'était ? demanda Charly.

Singleton expliqua :

— Une des trois Parques dans la mythologie grecque. Elle portait une paire de ciseaux, et c'était elle qui coupait le fil de la vie, décidant du destin de l'homme.

Giorgio dit :

— Oui, chaque bord de métal coupant, dans une épave, représente les ciseaux d'Atropos, comme le tuyau d'air est le fil de la vie.

Lorsque nous allâmes nous coucher, le vent soufflait en tempête. En bas, sur la plage, l'eau et le sable se heurtaient et se mélangeaient en tourbillons écumants. Quelquefois, on distinguait le son individuel de chaque vague, le rugissement, le déferlement, la confusion, et le retrait. Quelquefois, le bruit se transformait en un seul hurlement continu. Il secouait les vitres, vibrait contre le seau de métal, faisait claquer la toile des chaises longues, tambourinait contre les tympans jusqu'à entraîner tout l'esprit dans un maelstrom infernal.

Ma chambre donnait sur le balcon. À deux ou trois kilomètres, je voyais clignoter et danser sur l'océan les lumières des barques de pêche et je songeai à la misère de ces gens travaillant dans la tempête, la nuit, pour arracher à l'océan une prise dont un pour cent seulement leur revenait. Je regardai les nuages noirs passer devant la lune pendant un long moment avant de me coucher. J'essayai de dormir, mais le bruit du vent et l'excès de café me tinrent éveillé. À 3 h 30 du matin, j'entendis la porte de la cuisine s'ouvrir. Apparemment, quelqu'un d'autre souffrait d'insomnie. Je me dis qu'une tasse de thé ne serait pas une mauvaise idée. Mais j'entendis les pas traverser la cuisine, et la porte qui donnait sur le balcon s'ouvrir. Alors que j'enfilais quelques vêtements, le portail, à mi-chemin sur l'escalier extérieur, grinça sur ses gonds rouillés.

Regardant par-dessus le balcon, je vis à la lumière de la lune une silhouette descendre les dernières marches. Elle obliqua et se mit à suivre la grève en direction de l'ouest. Je descendis l'escalier aussi vite que possible. Le vent me cingla avec une morsure glaciale, et je sentis des gouttes d'embruns traverser mon pantalon et mon pull-over. Le métal froid de mon revolver pesait contre ma hanche. À vingt mètres devant moi, le promeneur nocturne ne faisait aucune tentative pour se cacher. C'était Giorgio. Il marchait à l'écart des rochers qui bordaient le bas de la falaise. Bien en vue. Il arriva jusqu'au pied du grand escalier qui s'élevait en spirales de la plage à la promenade, en une courbe d'une majesté baroque.

Commencer à monter avant que Giorgio soit parvenu au sommet eût été une folie. Il suffisait qu'il se retournât une seconde pour m'apercevoir.

Je lui laissai donc tout le temps de monter. Puis, serrant la balustrade interne, je montai à mon tour les marches. Je fis attention de ne pas faire rouler de pierre descellée, bien que le rugissement de la mer fût assez violent pour étouffer tout bruit autre que celui d'une avalanche. Je m'arrêtai un instant en approchant du sommet, je pris le Smith & Wesson dans ma ceinture, et je respirai profondément avant de gagner la promenade. Si Giorgio me guettait, cette inspiration pouvait me sauver la vie.

Mais personne ne m'attendait. Vers la droite, la petite rue pavée était vide sur près de cinq cents mètres. Vers la gauche, j'entendis le faible bourdonnement d'une motocyclette à travers le vacarme de la tempête. Un petit nuage gris passa devant la lune. Il semblait que quelqu'un eût pris Giorgio en croupe. Qui connaissions-nous qui fût en possession d'une motocyclette à deux temps ? Je perdais mes amis plus vite que je ne pouvais les remplacer.

25

Les grosses gouttes de pluie glissaient sur les vitres grises. Le mauvais temps se déplaçait vers le sud de Lisbonne comme l'avait prédit la météorologie. Le vent et la pluie ne donnèrent aucun signe d'apaisement jusqu'à l'heure du thé, et nous traînions dans la maison, maussades. Albufeira était une ville conçue pour le soleil. Quand la pluie tombait, ce n'était plus qu'un amas de maisons hétéroclites et misérables. Sur la place du marché, la pluie, s'égouttant des arbres, ruisselait sur les légumes et les fruits et, dans le café, le propriétaire tuait le temps en jouant aux dames avec son fils tout en buvant son propre café.

Au numéro 12, nous prîmes un petit-déjeuner tardif. Nous portions tour à tour notre attention sur le café, et les pancakes de Charly, et sur Giorgio qui repliait sa combinaison de caoutchouc et la talquait pour la sixième fois. Finalement il la rangea dans son sac de polythène, et brossa le talc qui s'était collé sur son pull-over de cachemire. Chaque jour, qu'il plongeât ou non, Giorgio inspectait sa combinaison de caoutchouc, vérifiant les coutures des manches et du pantalon, qui s'usaient le plus vite. Charly me dit qu'il le faisait tous les jours avec le même soin, la même expérience professionnelle. Mais ses mains tremblaient toujours davantage.

Giorgio ne montra aucun enthousiasme lorsque je parlai de plonger, voyant que la tempête se calmait :

— Il fera trop sombre pour y voir, dit-il.

Singleton le contredit. Il déclara que puisqu'ils utilisaient les grandes torches alimentées par les batteries du bateau, il n'y avait pas de raison de plonger en plein jour de préférence à la nuit. Nous pouvions même traverser la plage tout habillés. À cette heure-là, personne ne remarquerait ce que nous portions, même si on nous voyait.

Je le vis regarder Giorgio pour voir s'il opposerait à cette affirmation une objection technique. Mais je le prévins :

— Je n'ai pas mis la chose aux voix, déclarai-je. C'est un ordre : si le temps s'améliore au changement de marée, nous plongeons.

— Épatant, dit Charly.

C'était aussi sincère que l'enthousiasme d'une publicité chantée, mais cela signifiait que Charly du moins sauterait si je lui donnais l'ordre de le faire.

Je poursuivis :

— La première plongée sera effectuée par Giorgio et moi. Puis, ce sera au tour de Singleton. Puis de nouveau Giorgio et moi.

Singleton remarqua :

— Est-ce prudent ? C'est un boulot plutôt dangereux de…

Je le regardai d'un air menaçant.

— Bien, monsieur, dit-il, subjugué.

— Je ne me suis pas beaucoup manifesté, dernièrement, fiston, dis-je à Singleton, mais c'est parce que j'étais en train de réfléchir. Pas de sombrer dans le gâtisme.

Imaginez l'Atlantique par une nuit froide de novembre, avec un vent froid soufflant sec du nord. Imaginez un hors-bord de quelque cinq mètres, dansant sur les vagues et présentant son flanc bâbord à la houle, chargé d'une écho-sonde endommagée, de torches sous-marines, de bouteilles d'air comprimé, et de cinq thermos pleines de vin chaud. Imaginez, dans ce bateau, un vieux pêcheur portugais aux mains écorchées à force de gouverner un bateau qui roule, ancré à une épave immergée. Et, revêtus de leurs costumes de caoutchouc noir, trois hommes, équipés chacun de son propre système respiratoire : Singleton, un officier de marine, désireux de mettre en évidence l'incompétence et la sottise d'un service de renseignement dirigé par des civils. Giorgio, un homme-grenouille, spécialisé dans la récupération des épaves, désireux de gagner un pot-de-vin en trahissant son employeur sans se trahir lui-même. Et un troisième homme, qui, pensant aux inscriptions sur la carte d'un sous-marin, ne peut pas oublier que les stylos à bille ne sont apparus dans le commerce qu'après la fin de la guerre.

La houle était assez forte pour nous faire piquer dans le creux des vagues à un angle d'inclinaison alarmant.

Vers le nord, à chaque fois que nous étions portés par la crête d'une vague, je voyais surgir la côte. La lune inondait le paysage d'une lumière bleue, et des raies phosphorescentes jouaient sur la mer comme de l'électricité statique. L'écho-sonde émit toute une succession de crachotements, puis son aiguille se mit à grincer sur le papier avec un bruit régulier de métronome. Les bossoirs s'illuminèrent d'une lueur rouge lorsque Giorgio vérifia les lampes sous-marines, pressant sa main sur le verre épais.

Je sentais déjà la pression de la combinaison isothermique, et je me demandais si Singleton faisait bien de porter la sienne une heure avant de plonger. Giorgio me donna quelques conseils de dernière minute :

— Agitez les jambes ensemble en nageant, pas alternativement, me recommanda-t-il, et il me tapota amicalement le bras. Vous verrez que c'est plus efficace que le crawl.

Je lui dis que je m'en souviendrais. Une fois les lampes étanches descendues au bout de leurs câbles, Giorgio grimpa par-dessus bord, et je le suivis. Le froid de l'eau me pénétra jusqu'aux os. Je pris l'embout entre les dents. Le goût avait de quoi donner la nausée. Puis je mis le masque rectangulaire. Un petit ruisselet d'eau salée coula de mon pouce jusqu'au coin de ma bouche. Ce goût salé, je devais le conserver pendant très longtemps. Je mis mes paumes contre les flancs usés du bateau, dont le bois s'écaillait. Une vague me passa par-dessus les épaules, et le bateau reposa soudain sur mes mains comme si j'étais Atlas soutenant le globe terrestre.

Je plongeai dans l'eau opaque. Sous la surface houleuse, l'eau était verte et sans dimension. Une traînée blanche de bulles microscopiques fuyait entre mes pieds tandis que je nageais en direction des lampes, qui devenaient de plus en plus rouges au fur et à mesure que j'en approchais. Tout était calme et silencieux. L'eau ne bougeait plus du tout. La surface n'était plus verte, mais mauve. À ma droite, légèrement au-dessus de ma tête, Giorgio avançait dans un sillage phosphorescent. Il régla la rapidité de sa propre progression à mes mouvements maladroits. Je le vis tourner autour de lui-même en un saut périlleux, et de ses pieds toucher le fond sans presque mouvoir la boue. J'essayai de faire de même, mais un tourbillon d'eau sale s'éleva autour de mes palmes. Giorgio me tendit une des grosses lampes étanches, et lorsque mes yeux s'habituèrent à l'obscurité violette, toute une partie du lit de la mer devint plus sombre que le reste. Haute de cinquante pieds, la forme renflée du sous-marin surgit au-dessus de nous. Giorgio fit un mouvement de sa main libre pour m'inviter à le suivre, et grimpa le long d'une échelle invisible jusqu'au pont avant. Je le suivis, passant devant le renflement convexe des réservoirs. Ici et là, il y avait encore des couches de peinture en bon état. Malgré la légère inclinaison du submersible, il était facile d'imaginer que c'était encore un sous-marin avec tout son équipage, tapi au fond de la mer et guettant le moment de reprendre sa patrouille. Nous passâmes devant des chiffres gigantesques peints sur le kiosque et, à la lumière rouge de la lampe, je vis la silhouette de Giorgio qui ouvrait l'écoutille. La lueur confuse devint subitement un disque de lumière aux contours aigus.

Je suivis Giorgio. Je sentais la peinture détrempée s'en aller par plaques sous ma main, et les flocons s'élevaient en tournoyant, comme des feuilles un jour d'orage. Je sautai légèrement sur la plate-forme du kiosque, qui faisait un angle avec le capot d'écoutille.

Tenant le côté de l'échelle du kiosque d'une main, je me préparai à sauter dans la petite pièce ovale qui se trouvait en dessous. J'éclairai l'intérieur avec ma grosse lampe. Des cercles rouges s'allumèrent sur les murs lorsque les verres des multiples cadrans reflétèrent la lumière. Ma lampe éclairait l'écoutille au-dessus de ma tête. Flottant entre les tuyaux et la bague du périscope, je vis une forme molle en combinaison de chauffe et équipement Draeger. Je tirai sur le câble de la lampe, et j'évitai soigneusement le cadavre, dont la tête tapait doucement contre les commandes de la barre de plongée, au rythme de mes propres mouvements à travers l'eau. À côté de lui, le timonier passerait une éternité à regarder le compas gyroscopique, attendant un ordre qui n'arriverait jamais.

Je me tins sur le côté bâbord du compartiment encombré. C'était le côté que Giorgio avait dégagé et fouillé. Le côté tribord disparaissait sous des amas de literies, de couchettes et de vêtements, parmi lesquels on distinguait à peine les corps.

Au-dessus de moi, des conduites coupées pendaient comme d'étranges stalactites, tandis que des chaises et des tabourets dansaient contre le plafond. J'imaginais la dernière scène de la vie du sous-marin, dans ce petit espace aussi peuplé qu'un métro aux heures d'affluence, quelques années plus tôt. À demi marchant, à demi nageant, je passai à côté des caisses brisées de provisions et de bouteilles cassées. Je posais mes pieds entre des thermos de métal déchiquetées et je vis deux photos de femmes complètement délavées qui étaient restées coincées derrière un tuyau de climatisation. Ma respiration s'embarrassa. Une de mes bouteilles était vide. J'ouvris le robinet pour permettre à la bouteille pleine d'égaliser. Je respirai de nouveau normalement.

Je voyais la lumière de la lampe de Giorgio à travers la porte de la cloison. Je poursuivis ma route, remarquant la coque de pression qui avait plus d'un pouce d'épaisseur. Elle était conçue pour résister à la pression de l'eau à plus de cinq cents pieds. Je tapai dessus, et le métal vibra avec un claquement sonore. À l'autre bout de la cloison se trouvait le compartiment des torpilles. C'était comme regarder la grande salle d'un château de la galerie des musiciens. Le plancher se trouvait à quelque dix pieds au-dessous de moi, au bas de l'échelle. De chaque côté se superposaient les râteliers garnis de torpilles, huileuses et argentées comme des sardines dans leur boîte. La boue s'était infiltrée insensiblement dans le compartiment des torpilles, au fur et à mesure des années et des marées. Quelques-unes des torpilles des râteliers inférieurs et un certain nombre de corps étaient presque recouverts par la vase. Je me mis à vérifier chaque cône de charge. Giorgio était debout derrière moi et tenait les deux lampes. Nous savions l'un et l'autre que cette inspection comportait des risques. À la fin de la guerre, les Allemands avaient mis à l'essai un grand nombre de mécanismes de mise à feu. Certains étaient acoustiques, d'autres magnétiques. Il y avait l'œil électrique, l'écho réfléchi. Il était assez fréquent qu'une même unité disposât de tout un assortiment d'armes de divers types, et ce sous-marin était l'un des mieux armés de la marine allemande à l'époque des nazis.

— Dix-neuf, me dis-je à moi-même, mordillant le tube de caoutchouc. C'est tout.

Je passai un doigt devant ma gorge, et je le tournai vers le haut. Giorgio acquiesça. Il y avait dix-neuf torpilles vérifiées. Aucun des cônes de chargement ne contenait de paquet. Ils n'étaient pas creux, ni remplis de fausse monnaie. Ils étaient massifs, et dangereux. La dernière tâche de Giorgio était de faire le tour de la coque à l'extérieur pour vérifier les tubes lance-torpilles. J'étais déçu : une autre de mes théories venait de faire long feu.

Giorgio me donna sa lampe électrique lorsque nous eûmes regagné la cloison déformée. Il monta par l'accès du canon menant à l'avant-pont. Je dus reprendre le chemin par lequel j'avais pénétré dans le sous-marin en raison des câbles des lampes. Je regardai ma montre.

Je passai à travers l'écoutille du kiosque, et au-dessus des plates-formes du canon de 37 mm. L'océan me parut vaste après l'intérieur du sous-marin. Je nageai doucement vers le fond, en tenant les deux lampes sous un bras. Je regardai derrière

moi l'énorme coque, et j'éprouvai soudain un sentiment d'horreur devant ce sarcophage géant. Giorgio
ne m'avait toujours pas rejoint. Je me laissai flotter
dans l'eau sombre, utilisant seulement mes pieds
pour me mouvoir. Je tenais les lampes devant moi,
pour éclairer ma route. Nager avec les deux jambes
ensemble. Être seul de nuit sur le lit de l'océan était
une expérience inoubliable. La carcasse du sous-
marin projetait sa masse sombre au-dessus de moi,
et je m'imaginai soudain qu'elle bougeait avec la
marée. Ma respiration s'embarrassa de nouveau.
Je tournai le robinet pour égaliser, mais cette fois,
seulement la moitié de la bouteille se déverserait dans
la bouteille vide. Le temps commençait à compter.
Que faisait Giorgio ?

La lumière électrique brillait sur le métal gris,
et je voyais des poissons et des petits crabes fuir le
faisceau lumineux. J'agitai une palme pour avancer
plus vite. Les trois capots des tubes de tribord étaient
ouverts. Ceux de bâbord étaient fermés. Je montai
sur le pont. Au-dessus de ma tête, de grandes touffes
d'algues pendaient des fils en se balançant. Je posai
les grosses lampes entourées de caoutchouc sur la
boue afin de regarder ma montre et ma boussole.

Puis je vis, à quelques pouces de mon pied, une
forme rectangulaire et plate. La boue s'éleva en tourbillonnant lorsque je la ramassai. C'était un grand
livre de bord, relié de cuir. Ce qu'on voulait plus que
toute autre chose au monde, selon Londres. Il fallait
que je trouve l'emplacement de l'ancre. Elle devait
être accrochée vers l'arrière, près de la barre de
plongée. Je glissai le livre de bord sous mon harnais,
et je me courbai pour prendre les lampes.

Les semelles des palmes de Giorgio n'étaient qu'à trois ou quatre pieds des lampes. Son masque et l'embout de caoutchouc pendaient sur sa poitrine. Une manche de son costume de caoutchouc était déchirée en plusieurs endroits, et je voyais s'élever au-dessus de lui un nuage de sang grisâtre.

28

J'égalisai de nouveau pour la dernière fois, avant
que l'air ne commençât à me manquer, et je laissai
le robinet ouvert. Cela signifiait que je ne serais pas
averti de l'épuisement de la réserve d'air, mais j'avais
besoin de mes deux mains. À ce moment-là, les deux
lampes s'éteignirent, et les deux câbles tombèrent
autour de moi avec un choc sourd. Cela ne me laissait
pas le choix. Je soulevai le visage de Giorgio, et lui
mit l'embout dans la bouche. Mais il était inconscient, et l'embout retomba sur sa poitrine. Je le saisis
par les aisselles et je donnai un coup de pied au sol
pour tenter de remonter. Je le débarrassai de sa ceinture de lest, et je fis de même de la mienne. Nos têtes
émergèrent ensemble de l'océan. Le vent me laboura
le visage comme une lame de rasoir émoussée. Le
clapotement des vagues rompait soudain le silence,
et le froid qui me mordait la tête et les épaules me
fit soudain prendre conscience que mon corps était
gelé malgré le lourd vêtement de laine que je portais
sous le caoutchouc.

De la main, je cherchais le livre, et je le poussais
plus fermement sous les courroies. Le bateau, lui,
était invisible. Quelle que fût la raison qui les avait
incités à jeter les câbles des lampes par-dessus bord,

elle devait être sérieuse. Mais j'avais le livre de bord, et cela valait tous les risques.

Des rigoles d'écume blanche sale glissaient dans le creux des vagues, dont la forme noire menaçait de nous engloutir avant de nous jeter comme deux balles au sommet de leur crête. Je mis Giorgio sur le dos, et je nageai avec lui vers la côte, presque invisible. Le ciel était clair, rempli d'étoiles. La Charrue me fournit un repère d'orientation plus sûr que la côte que j'entrevoyais parfois du sommet d'une vague.

— Atropos, cria soudain Giorgio, et il m'assena un coup violent sur le côté du cou avec une de ses paumes.

Une vague, plus forte que les autres, se brisa sur nous, et Giorgio réussit à se libérer. Il nagea vigoureusement vers le sud pendant cinq ou six brasses. Puis soudain il faiblit, et j'eus tout juste le temps de le saisir avant qu'il coule, sans aucune tentative pour réagir. Je dus plonger de six pieds avant de le ramener à la surface, et nous étions presque aussi noyés l'un que l'autre. Nous crachâmes en haletant, et finalement je le pris de nouveau en remorque. Il me donna encore deux fois des coups sur la tête, en criant : « Atropos, Atropos ! » avec des balbutiements en italien, que je n'essayai même pas de comprendre. S'il n'avait pas absorbé une telle quantité d'eau chaque fois qu'il ouvrait la bouche, sa respiration fût sans doute rapidement redevenue normale. Mais il perdait beaucoup de sang, et s'affaiblissait à chaque mètre que je réussissais à couvrir en direction de la plage.

Les vagues étaient décapitées par le vent, et l'écume volait autour de nous avec un sifflement incessant. Nous étions dans l'Atlantique depuis une heure et demie environ. Tout mon corps me faisait mal. Pour la première fois, je doutais de parvenir jusqu'au rivage. J'arrêtai de nager, et, continuant à soutenir Giorgio, j'essayai de voir le bateau. Les vagues nous ballottaient comme un toboggan. Je criai pour me faire entendre de Giorgio. Il tourna son visage bronzé vers moi. Ses yeux étaient grand ouverts, et je voyais bouger ses lèvres :

— Atropos, dit-il faiblement, elle éteint les étoiles.

29

La tête de Giorgio flottait contre ma poitrine.

— Je vous salue, Marie, disait-il faiblement. Je vous salue, Marie, pleine de (la mer passa par-dessus sa tête, le balayant comme une bouteille de bière)… grâce, le Seigneur est avec (il cracha, toussa, et avala de l'eau salée)… vous. Vous êtes bénie entre toutes les femmes (Giorgio avait glissé plus profondément dans l'eau)… et Jésus, le fruit de vos entrailles, est béni…

Il me devenait difficile de maintenir sa tête au-dessus de l'eau.

— Sainte Marie, mère de Dieu, priez pour nous (la plage était devant nous)… pauvres pécheurs, maintenant et (les vagues se transformaient en brisants)… et à l'heure de notre mort.

Les vagues nous submergèrent l'un et l'autre. Je sentis le sol sous mes pieds. De nouveau je le perdis. Puis je le retrouvai. Une vague nous jeta de tout notre long dans le ressac. Je me relevai, je pris Giorgio par les aisselles, et je le tirai pouce par pouce sur la plage, jusqu'à ce qu'il fût à l'abri de la mer. J'étais si lourd. Giorgio était si lourd. Je voulais dormir. Je savais qu'il fallait que je pratique la respiration artificielle pour faire pénétrer de l'air dans ses poumons remplis d'eau.

Je le retournai sur le ventre. Son dentier tomba dans l'écume. Cela ne servait à rien. À rien du tout.

30

Ils étaient tous dans la maison. Ils étaient assis dans la salle à manger, la tête entre les mains, regardant le sol, et concentrant toute leur force à respirer, par à-coups prolongés et essoufflés. Personne ne leva la tête quand j'entrai. Charly avait fait du café et les avait enveloppés de couverture, mais avait eu le bon sens de ne rien demander.

— Giorgio est sur la plage, dis-je, obligé de reprendre mon souffle entre chaque syllabe.

Le vieux pêcheur se leva lentement :

— Je vais vous aider, dit-il en portugais.

— Buvez votre café d'abord, dis-je. Giorgio n'est pas pressé. Il est mort au moment où nous avons atteint la plage.

— Qui a fait chavirer le bateau ? demanda Singleton après une minute.

— Je voudrais bien qu'on me le dise.

— Mais ça ne peut être que vous ou Giorgio.

J'eus de la peine à ne pas me mettre en colère.

Il ajouta :

— C'était un homme-grenouille, en costume.

— Ni Giorgio ni moi ne sommes revenus à la surface avant que vous chaviriez.

Personne ne dit mot. Je pris le livre de bord sous mon harnais. De l'eau ruissela sur le sol. Je vis qu'il portait « *Besuchsliste* ». J'avais trouvé le livre de visites du sous-marin. Pas le journal de bord. Il ne servait à rien. Je le jetai violemment en travers de la pièce.

Il me fallut dix minutes pour me sécher et me changer. Je mélangeai du café noir et du cognac en parties égales, et j'avalai la mixture d'un seul coup. Je dis à Singleton et au vieux pêcheur d'aller chercher le corps de Giorgio sur la plage, de le dépouiller de son équipement, et de le mettre sur le balcon. Puis je grimpai en voiture.

Je tirai violemment sur la sonnette de la villa de da Cunha, et j'insistai jusqu'à ce que da Cunha lui-même vînt ouvrir. Il était complètement habillé.

— Je vais entrer, dis-je.

Da Cunha ne protesta pas, et ne fit rien pour m'en empêcher.

— L'un de mes amis est mort, dis-je.

— Vraiment ? fit da Cunha calmement, mais je vis tressauter la lampe à huile qu'il tenait.

— Il est mort sous l'eau, repris-je.

— Noyé, dit da Cunha.

— Je ne crois pas, répondis-je, mais j'accepterai cette version sur le constat de décès, si cela signifie un enterrement sans histoires.

Da Cunha approuva de la tête, mais ne bougea pas.

— Vous me demandez de vous aider de quelque façon ?

— Je vous ordonne de m'aider, à ma façon, répliquai-je sans ambages.

Il riposta :

— Ce ton-là ne vous mènera pas très loin.

On aurait dit Dawlish.

— J'ai un morceau de papier dans ma poche. Il contient une mèche de cheveux du senhor Fernandes Tomas.

Da Cunha était resté impassible.

— Quand Londres mettra ces cheveux sous un microscope, on se rendra compte que les cheveux noirs de Fernie sont des cheveux blonds qui ont été teints. Des cheveux blonds et des yeux bleus, ça fait aussi anglais que possible, et c'est trop voyant pour un Portugais. Mes ordres, par la suite, pourraient vous concerner personnellement. D'ici là, un cadavre d'homme assassiné risque de vous causer autant d'ennuis qu'à moi, et je ne pense pas que M. Smith puisse vous aider.

— Vous avez raison, dit-il. Je vais prendre des dispositions pour le constat immédiatement. Désirez-vous amener le… euh… l'homme, ici ?

— Et pourquoi pas ? répondis-je. Vous avez une tombe vide qui ne sert à rien.

Les lèvres de da Cunha s'agitèrent, mais aucun son ne sortit de sa bouche. Il dit enfin :

— Comme vous voudrez.

31

Je revins à Londres aussi discrètement que possible. Giorgio avait été assassiné sous l'eau. Joe, réduit en bouillie. Et chaque fois, je m'étais trouvé à quelques mètres de la victime. Je n'en concluais pas que ces meurtres avaient été des tentatives manquées de m'atteindre, moi, mais la prudence mène plus sûrement l'agent secret jusqu'à l'âge de la retraite que la bravoure. Je décidai de procéder à quelques enquêtes personnelles, même s'il fallait pour cela violer tous les règlements de mon service.

Un vent glacial soufflait dans Cromwell Road, plus vite que ne roulaient les Jaguars des agents de change. Un cosmonaute passa à côté de moi sur une motocyclette, en rugissant comme s'il voulait inciter quelque âme charitable à l'aider dans une tentative de suicide. Je pris une chambre dans un des hôtels situés près de l'aérogare de Londres Ouest, tapissé de chintz, et décoré de fleurs fanées. Je m'inscrivis sous le nom d'Howard Craske sur le registre.

Le réceptionniste me demanda mon passeport.

— Aurais-je franchi une frontière ? demandai-je.

Il me mena dans une chambre du troisième étage, donnant sur la cour. Elle avait un radiateur à gaz qui semblait n'avoir pas servi depuis longtemps. J'y glissai sournoisement plusieurs pièces d'un franc. Il les avala. Le gaz se mit à siffler en signe de bonne digestion. Je mis des chaussettes sèches, j'attendis de m'être suffisamment réchauffé pour faire de nouveau partie du monde des vivants, et j'allai téléphoner. J'avais déjà décidé de laisser passer plusieurs heures avant d'entrer en contact avec Dawlish. Je fis un numéro de Bayswater sur le cadran. Le téléphone émit les crachotements, les bourdonnements, les toussotements habituels aux téléphones anglais, plus riches en ressources sonores que la gamme chromatique. Après que j'eus fait le numéro deux fois, il consentit même à sonner.

— Puis-je parler à M. Davenport? demandai-je.

Il était mon premier contact avec le sol. Je tâtais le terrain comme le gibier flairant le vent.

— Ce téléphone brûle, dit la voix à l'autre bout du fil, et vous aussi. Décampez.

Il raccrocha. Davenport n'était pas laconique, mais un téléphone, sur lequel on a branché une table d'écoute, suscite parfois ce genre de réaction chez les gens.

Lors de l'essai suivant, je fus plus circonspect. J'attendis qu'Austin Butterworth parlât le premier. Il parla, et je dis:

— Comment va, Austin?

— Je reconnais la voix de mon vieux copain...

— Ça me fait plaisir, dis-je sans lui laisser le temps de dire mon nom.

— Vous avez des ennuis? me demanda-t-il.

— Je ne sais pas, Austin. Aurais-je une raison de me faire du souci?

Il rit dans le meilleur style du théâtre policier.

— Mieux vaut en parler ailleurs, dit-il. (Austin avait une longue habitude du téléphone.)

— Que diriez-vous de Leds d'ici une demi-heure ?

— Parfait, répondit-il.

Leds est un vieux café très sombre près de Old Compton Street. Pour entrer, il faut se frayer un chemin à travers les étalages de journaux continentaux et de magazines de cinéma. L'intérieur évoque tout à la fois l'atmosphère virile de l'Aldermaston March et le Bal des arts à Chelsea. J'entendis quelqu'un dire :

— et merci pour cette charmante réception.

L'après-midi était à moitié écoulé.

— Un café noir, commandai-je.

Je voyais le crâne d'Ossie briller à travers ses cheveux de plus en plus clairsemés, par-dessus un numéro du *Corriere della Sera*.

— Comment va, Ossie ? dis-je.

Il ne releva pas la tête. La serveuse, derrière le comptoir, me tendit mon café. J'achetai des cigarettes et des allumettes. Elle me rendit ma monnaie. Alors seulement, Ossie murmura :

— Vous avez été filé ?

— Bien sûr que non, ripostai-je.

J'avais oublié cette manie d'Ossie. Les années qu'il avait passées en prison lui avaient fait acquérir le talent de rouler des cigarettes aussi minces que des allumettes, la hantise de la filature, et une haine définitive pour le porridge.

— Venez au fond de la salle, afin que je puisse voir les gens entrer.

Nous allâmes nous installer à l'arrière du café, derrière une des tables à dessus de verre.

— Avez-vous fait le tour du pâté de maisons pour être sûr ?

— Calmez-vous, Ossie.

— Il faut s'imposer un certain nombre de règles, riposta Ossie. Seuls les imbéciles qui n'en ont pas se font prendre.

Je trouvai la réflexion plaisante, venant d'un homme comme Ossie, qui se faisait prendre deux fois par an.

— Je ne savais pas que vous étiez partisan des règles, dis-je.

— Si, répondit Ossie, il faut avoir des règles pour savoir quoi faire en n'importe quelle circonstance, de manière à ne pas perdre de temps à réfléchir avant d'agir.

— On dirait une maxime empruntée au gardien en chef d'une prison, Ossie. De quelles règles voulez-vous parler ?

— Ça dépend. Par exemple, qu'il faut toujours sauter du côté relevé d'un bateau qui sombre. C'est bon à savoir en cas de besoin.

— Mais je n'ai pas de raison de me trouver dans un avenir immédiat sur un bateau qui sombre.

— Croyez-vous ? riposta Ossie. (Il se pencha vers moi :) Je n'en serais pas trop sûr à votre place, vieux.

Et il m'adressa un clin d'œil complice, dans le meilleur style de Gilbert et Sullivan.

— Ah ! et qu'avez-vous entendu, Ossie ?

J'avais toujours du mal à croire qu'Ossie fût homme à garder un secret. À le considérer, ce vieux coquin donnait l'impression d'être la naïveté même. Mais il avait autant de secrets que n'importe quel homme à Londres. Ossie était l'archétype du cambrioleur professionnel.

Je commandai deux autres cafés.

— Ce que j'ai entendu ? répéta Ossie. J'ai entendu parler de vous un peu partout.

— Où, par exemple ?

— Eh bien ! je n'ai pas le droit de révéler la source de mon information, comme on dit au Yard, mais je puis affirmer, sans craindre la contradiction, que vous êtes un sacré gêneur du point de vue d'une certaine personne.

Il s'interrompit, et je ne le bousculai pas, car il est de ces hommes qui n'aiment pas être bousculés.

— Mon petit doigt m'a dit que vous étiez sur la piste d'un lot de marchandises du genre de celles dont vous et moi avons prélevé un échantillon gratis dans un coffre-fort à Zurich.

Il est important de savoir à quel moment il faut mentir, et à quel moment il faut être franc. J'acquiesçai. Ossie était visiblement content d'avoir deviné juste. Il continua :

— Supposez que vous soyez un monsieur fabriquant, pour les gouvernements, des machines qui font du bruit, depuis le genre de celle qui donne le signal du départ au cent mètres à Wembley jusqu'aux gros engins qui illustrent la littérature de recrutement de la Défense civile…

Il me regarda d'un air narquois.

— Je ne vois pas, dis-je, dérouté, où vous…

— Imaginez que vous ayez signé un beau contrat pour fabriquer des machines à faire bang-bang, assez important pour poser un problème de pollution d'air au conseil municipal de Birmingham pendant les deux ans à venir, et que vous vous aperceviez soudain que les gars portugais qui l'ont signé s'apprêtaient à vous payer en monnaie de singe. Vous seriez plutôt embêté, non ?

— Si la monnaie de singe sortait du vieux bateau, vous voulez dire ?

163

— C'est ça, mon pote, dit Ossie. L'idiot qui irait repêcher cet argent pour ces satanés Portugais serait comme la chasteté faisant irruption au milieu d'une noce, si vous voyez ce que je veux dire.

Je voyais ce qu'il voulait dire.

Ossie reprit :

— Je ne voudrais pas qu'il soit dit que je vous ai révélé le nom de la personne qui trouve votre zèle superflu, mais je n'aimerais pas avoir à chercher son nom dans l'annuaire si je ne connaissais pas l'initiale.

Dire que la situation me déplaisait eût été l'euphémisme du siècle. Je savais qu'il faudrait que je reprenne bientôt contact avec Dawlish, pour éviter que mes supérieurs ne se mettent à chercher ma photo dans la *Pravda*. Et je n'étais pas rassuré de voir qu'Ossie en savait davantage sur la situation qu'on ne m'en avait dit, à moi.

Ossie avait confirmé ce que j'avais soupçonné. À ce stade, je ne possédais rien qui me permît d'affronter M. Smith. Mais je savais où trouver son homme de main.

Je quittai Ossie et je suivis Compton et Brewer Street, puis Sackville Street jusqu'à Piccadilly. J'entrai prendre un verre au bar du Ritz. J'y trouvai Ivor Butcher, comme je l'avais prévu.

— Comment va, vieux ? dis-je.

Nous traitions avec lui lorsque nous y étions obligés, mais avec le sentiment que si on le lâchait un instant des yeux, il chiperait quelque chose sur votre bureau. Il vint à moi avant même que le garçon eût le temps de prendre sa commande.

— Venez en bas, c'est plus calme.

Il avait le même accent que le speaker de Radio Luxembourg. L'instinct professionnel l'emporta sur les sentiments personnels. Je l'accompagnai au bar du sous-sol, où il insista pour me faire boire une mixture sucrée à base de gin, au lieu de xérès. Il portait l'imperméable que l'on voit dans les films à petits budgets, avec le col relevé, et il gardait la main dans sa poche, comme s'il était prêt à dire à tout moment : « Haut les mains, mes agneaux. » Il me mettait généralement en gaieté, mais ce jour-là, mon humeur était loin d'être gaie.

— Bonnes vacances au Portugal ?

Il cherchait toujours à glaner des bribes d'information, en vue de les revendre si possible. Il pressa un citron au-dessus de son verre, mangea la pulpe et suça l'écorce.

— Qu'est-ce qui vous rend si euphorique ? demandai-je. Vient-on de vous faire cadeau du Registre central ?

— Elle est bonne, celle-là, dit-il avec un rire bref.

Il envoya une cerise dans sa minuscule bouche rose. Il avait le visage mièvre du chanteur de rock. Ses cheveux, longs et brillantinés, avec un cran plein d'art au-dessus du front, lui retombaient sur le col.

— Vous avez l'air en pleine forme, dit-il.

Ivor Butcher était menteur de nature. Il mentait même en dehors des heures de travail.

Le mode dont on use pour s'adresser à ceux avec lesquels on travaille varie. Il y a le « Monsieur » ou le titre hiérarchique dont on se sert avec ceux que l'on souhaite tenir à distance, le surnom qui masque l'affection ou du moins le respect, le prénom qui exprime l'amitié, et le nom de famille tout court entre les hommes qui se croient encore au collège. Il n'y a que les hommes du genre d'Ivor Butcher qu'on appelle par leur nom complet.

— Qu'est-ce que vous faites cet après-midi ? Ça vous dirait d'aller faire un tour dans le Berkshire avec moi ? Je viens d'acheter une bicoque à la campagne. On pourrait faire une partie carrée. Je connais deux filles marrantes. Qu'en dites-vous ? On serait rentrés pour le dernier spectacle du Murray Club.

— Mazette, vous vivez en grand seigneur, dis-je. Vous avez fait du chemin depuis 1956[1].

— Oui, dit-il. J'ai acheté une Jaguar du type E : bleu Cambridge, roues à rayons. Une beauté.

À la table voisine étaient assis des agents de publicité, au menton fuyant, aux manchettes trop apparentes. Ils commandaient des consommations avec la prodigalité de ceux qui vivent sur leurs frais de représentation. Ils tâtaient et discutaient leur produit avec des voix assourdies par le respect. Un produit coupé en tranches, stérilisé, enveloppé de cellophane : bref, une miche de pain. À les entendre, on aurait cru qu'il s'agissait d'une cure miraculeuse pour le cancer.

Je bus mon cocktail, et j'offris à Ivor Butcher la cerise couleur de géranium qui nageait à sa surface.

— C'est gentil à vous, dit-il, la bouche pleine. Je pourrais vous vendre un tuyau militaire qui vous intéresserait, j'en suis sûr.

— Le numéro de téléphone du musée de la Guerre ?

— Ne rigolez pas, c'est de la première qualité.

---

1. Époque à laquelle I. Butcher travaillait aux tables d'écoute téléphonique du Home Office. Il y entendit une information qu'il s'empressa de revendre à trois ambassades.

— Délivrée avec bon de garantie ? dis-je.

Il eut un rire contraint, jeta un regard furtif autour de lui et chuchota :

— Ça ne vous coûtera que mille dollars.

— Décrivez la marchandise, ripostai-je. On verra plus tard pour l'estimation.

— J'ai reçu un coup de fil d'un certain gars de Maidenhead, un truand de première. Ils travaillent tous pour moi. Quand ils mettent la main sur quelque chose d'inhabituel, ils me l'envoient. Vous pigez ?

— Je pige.

— Ce vaurien a cambriolé la résidence d'un ministre, également à Maidenhead. Il fouille le bureau, trouve un bel agenda relié de cuir. Sachant que je suis collectionneur, il me le refile pour cinq cents dollars. Ce que je vous vends, c'est une page...

Je fis signe au garçon par-dessus l'épaule d'Ivor Butcher, qui, à mon grand amusement, virevolta comme s'il s'attendait à être pris au collet par les détectives de la Branche spéciale.

— Un Tio Pepe et un autre cocktail pour ce monsieur, avec deux tranches de citron et au moins trois cerises.

Ivor Butcher eut un sourire de soulagement embarrassé.

— Bon sang, dit-il, pendant une minute j'ai bien cru...

— Oui, j'ai compris.

À la table voisine, un des agents de publicité disait :

— il faut le servir par fragments. Je vous dis que c'est du billard.

— Qu'en pensez-vous? demanda Ivor Butcher, passant la langue sur ses dents pour les nettoyer des particules de citron et de cerise.

— Je ne savais pas que vous faisiez du trafic avec les gars du milieu, observai-je.

— Il faut bien vivre, riposta-t-il.

C'était un homme à saigner un vieux retraité ou à saboter les freins d'une voiture avec le même sourire de chérubin.

— Vous voulez mon avis? demandai-je.

— Mais je ne vous ai pas encore dit ce qu'il y avait d'écrit sur la page.

— Vous voulez dire que vous avez l'intention de me le révéler en confiance?

Ça ne lui ressemblait pas.

— Non. Je vous donnerai simplement le premier mot et le dernier.

— Allez-y. Un, deux, trois, partez!

— Le premier mot est « Venev ». Le dernier WOOC (P)... Je pensais que ça allait vous faire bondir au garde-à-vous, remarqua-t-il, déçu.

— Je ne comprends pas « Venev ».

— VNV.

— Qu'est-ce que c'est que ça?

— Ne me faites pas marcher! Les révolution-naires portugais.

— Nous n'avons pas de dossier les concernant.

Je fis semblant de réfléchir profondément:

— Il y a un type, au département d'État, du nom de Jerry Hoskyn. Peut-être que ça l'intéresserait. C'est plutôt leur genre à eux, à mon sens.

— Mais le nom de votre service figure sur la même page.

— Pas la peine de m'engueuler, dis-je avec irritation. Ce n'est pas moi qui l'ai écrit.

— J'essayais seulement de vous rendre service, murmura Ivor Butcher quelque peu douché.

— C'est gentil à vous, mais je ne suis pas preneur.

Les consommations arrivèrent. Dans le verre d'Ivor Butcher quatre cerises nageaient dans un liquide sirupeux, accompagnées de deux tranches de citron. Il rayonna.

— Je ne pensais pas qu'ils les apporteraient, remarqua-t-il.

À dire vrai, moi non plus.

— De quelle taille est-il ? demandai-je.

— De quelle taille ?

Il me regarda, dérouté, et mit un moment à se souvenir de quoi nous parlions.

— Oui, de quelle taille ? répétai-je.

— L'agenda ? Comme ça, indiqua-t-il, mesurant quatre pouces sur cinq avec ses doigts.

— Épais ?

— Un demi-pouce.

— Ça ne me paraît pas valoir mille dollars.

— Hélas, je ne vends qu'une page à ce prix-là.

— Vous êtes fou, dis-je.

— Que m'offrez-vous, dans ce cas ?

— Rien. Je vous ai dit que nous n'avions pas de dossier, et je n'ai pas l'autorisation d'en ouvrir un.

Ivor Butcher piqua ses cerises avec un pique-fruit après les avoir pourchassées tout autour de son verre.

— Apportez le document chez moi, à 7 heures. Je ferai venir Dixon, l'expert du Foreign Office pour le Portugal. Mais je vous préviens, je ne pense pas qu'ils l'achèteront. Même s'ils le font, ce ne sera pas sur les fonds secrets. Donc, ne vous faites pas d'illusions.

Un des agents de publicité protestait :

— Mais le pain n'est pas un luxe !

M. Henry Smith, le célèbre ministre, habitait à Maidenhead. Ou M. Ivor Butcher trahissait son patron, ou on me tendait un piège.

Lorsque je revins à l'hôtel, les fleurs en plastique s'étaient couvertes d'une nouvelle couche de suie, et le réceptionniste nettoyait son dentier avec un cure-dent orange. Je me souvins du nom que j'avais donné :

— Craske, dis-je.

Il prit derrière lui, sans regarder, la clef de ma chambre, et la jeta sur le bureau sans interrompre ses soins dentaires.

— Un visiteur vous attend là-haut, dit-il avec un lourd accent d'Europe centrale.

Du bout effrité de son cure-dent, il désigna le plafond.

— Dans votre chambre.

Je me penchai vers lui jusqu'à ce que son visage fût près du mien. Il avait oublié de raser une partie de menton.

— Est-ce l'habitude de laisser des étrangers monter dans la chambre de vos clients ?

Il écarta son cure-dent de son visage, avec un calme olympien :

— Oui, dit-il, quand il est improbable qu'ils portent plainte devant l'Association des hôteliers.

Je pris ma clef, et je commençai à monter l'escalier.

— Et ça se paie de culot, avec ça, l'entendis-je murmurer.

Je montai jusqu'au troisième. La lumière était allumée dans la chambre. J'éteignis celle du couloir, je collai mon oreille contre la porte, mais je n'entendis rien. Je mis la clef dans la serrure, je la tournai rapidement et, ouvrant la porte d'un seul coup, je la franchis, plié en deux.

On peut passer sa vie à s'assurer qu'il n'y a pas de lumière derrière soi quand on pénètre dans une pièce sombre, à dévisser le socle d'un téléphone étranger avant de s'en servir, à vérifier les fils avant d'engager une conversation confidentielle, et constater un jour que ces précautions étaient justifiées. Mais pour moi, ce jour-là n'était pas encore arrivé.

Étalé de tout son long sur le couvre-lit rose en térylène, Tinkle Bell m'attendait, un chapeau gris crasseux posé sur ses yeux pour les abriter de la lumière.

32

— Ça n'est que moi.

Les mots me parvinrent assourdis par le bord du chapeau et la phrase se termina par une toux sonore. Toutes les phrases de Tinkle Bell se terminaient par un accès de toux. Il écarta le chapeau de son visage et un champignon de fumée s'éleva vers le plafond.

Je me redressai, me sentant plutôt ridicule.

— Comment avez-vous réussi à circonvenir le portier ? demandai-je.

— Je lui ai montré un mandat d'arrêt datant de la guerre, dit-il.

Il se leva, sortit un flacon de Teachers de la poche de son pardessus, et remplit deux verres à dents.

— À la vôtre, dit-il.

— Merci, répondis-je.

Par un jeu ingénieux des articulations, il arrivait à fumer et à boire presque simultanément. Il toussa, fuma et but pendant quelques minutes.

— Surpris que je vous aie déniché ? (Il toussa.) Je suis un gars astucieux, hein ? (Il toussa de nouveau.) C'était pas malin, vous savez. Albufeira a envoyé ce matin un message pour vous. J'ai passé en revue la liste des passagers d'avion. Vous aviez déjà utilisé le nom de Craske il y a environ un an. (Il toussa de nouveau.) Peut-être commencez-vous à devenir un peu trop vieux pour ce jeu.

— Nous vieillissons tous, Tinkle, dis-je.

Tinkle acquiesça, continuant à tousser et à boire.

— Le vieux voudrait vous voir demain matin. 10 heures, a-t-il dit, si possible.

— Oui, il est toujours plein d'égards, il faut lui laisser ça.

— C'est un gars bien, déclara Tinkle, remplissant de nouveau nos verres. Ah, et puis je dois vous dire que Jane attend vos instructions. Elle espère que vous téléphonerez aussitôt que possible.

Il prit son chapeau et vida son verre d'un seul coup.

— Y a-t-il quelque chose que je puisse faire pour vous ? demanda-t-il. Je retourne au bureau.

— Oui, intercepter du courrier, dis-je, lui donnant le nom et l'adresse d'Ivor Butcher.

— Et le téléphone ?

— Pourquoi pas, dis-je, souriant à l'idée.

— Parfait, à bientôt, dit-il.

Je l'entendis tousser dans les escaliers vermoulus, jusque dans la rue. Je me mis à faire mes bagages. J'espérais que, le temps d'affronter Dawlish, j'aurais un atout dans ma main.

33

Je regagnai mon appartement vers 5 h 30. Je me préparai du café, et je fis du feu dans la cheminée. Dehors, de longues files de voitures boueuses se dirigeaient vers les sorties sud de la ville, sous un voile de vapeur de diesel. L'office météorologique prédisait de la neige ; il serait sans doute encore plus pessimiste le soir qu'il ne l'avait été le matin.

Puis je dressai une table de jeu dans la chambre à coucher, j'époussetai le Nikon F et je le fixai sur son support, en le chargeant de pellicule ultrasensible. Quatre lampes flood étaient fixées sur le chariot. Je les allumai, et l'éclat des lampes à tungstène inonda la pièce.

J'en étais à la seconde tasse de Blue Mountain lorsque Jane arriva. Sa bouche était froide. Nous frottâmes nos nez l'un contre l'autre en murmurant des « comment vas-tu, il fait froid, non ? ce ne serait pas étonnant si on avait de la neige avant Noël ». Puis je racontai à Jane l'épisode Ivor Butcher.

— Achète, me conseilla-t-elle.

Mais je ne voulais pas. Si je lui laissais voir que sa proposition m'intéressait, j'en révélerais plus que je n'avais l'intention de révéler, surtout à Ivor Butcher. Jane dit que c'était de la paranoïa. Mais elle ne faisait pas partie des services secrets depuis assez longtemps pour avoir ce sixième sens que je me flattais de posséder.

Ivor Butcher demeura assis dans sa Jaguar bleue pendant un moment avant de se diriger vers la porte d'entrée. Tout se passa d'une façon très professionnelle. Je le débarrassai de son manteau, et je lui versai à boire. Nous bavardâmes en attendant l'arrivée du représentant mythique du Foreign Office. Ivor Butcher avait apporté l'agenda dans une enveloppe jaune scellée. Lorsque la tension eut un peu monté, je demandai à voir l'agenda. Il me tendit l'enveloppe par-dessus mon bureau, je l'ouvris rapidement et j'en sortis un agenda à tranche dorée. La surface était rayée, et il n'avait pas l'air trop neuf. Ivor Butcher était sur le point de protester, mais je ne fis aucun geste pour ouvrir l'agenda, et il se calma. Je le remis dans l'enveloppe.

— Ça m'a l'air sérieux, remarquai-je.

Ivor Butcher hocha la tête avec satisfaction. Je fis lentement tourner l'enveloppe entre mes doigts. Je me levai et je fis le tour du bureau, me dirigeant vers Ivor Butcher. Je pliai l'enveloppe déchirée, et je la glissai dans la poche de son complet en fibre synthétique brillante. Il eut un sourire un peu inquiet.

— Je vais téléphoner au gars du Foreign Office pour savoir ce qui se passe, annonçai-je, allant dans la chambre à coucher où se trouvait le téléphone.

Il avait été facile de faire tomber l'agenda sur mes genoux et de lui substituer un objet de dimensions analogues. Heureusement, la description qu'Ivor Butcher en avait donnée était à peu près exacte. Mais j'avais préparé plusieurs objets de taille différente au cas où il se serait trompé.

Je le fixai sur le chariot et j'allumai les lumières.

J'appuyai sur le déclenchement de l'obturateur à rideau, qui passa lentement sur la pellicule. Je tournai la page pour photographier la suivante. Tout dépendait maintenant de l'habileté que mettrait Jane à occuper Ivor Butcher. Elle pouvait raisonnablement lui demander de ne pas essayer de surprendre une conversation entre moi et un agent du Foreign Office, mais s'il sortait l'enveloppe de sa poche et trouvait six coupons lui permettant d'obtenir une réduction de quatre pence pour un morceau de Fairy Soap, ma séance photographique risquait d'être brutalement interrompue.

Vers 12 h 45, la dernière épreuve était sèche, et Ivor Butcher était depuis longtemps parti, son agenda dans sa poche. Je retournai au salon. Jane avait enlevé ses chaussures et sommeillait devant le feu charbonnant. Je me penchai par-dessus le dossier du fauteuil, et j'embrassai son visage, tout drôle ainsi vu à l'envers. Elle s'éveilla en sursaut.

— Tu étais en train de ronfler, dis-je.

— Je ne ronfle jamais, protesta-t-elle. (Elle me regardait dans le miroir.)

— Et tu m'as dit que j'étais le seul homme à Londres en situation de le savoir.

Jane se passa les doigts dans les cheveux, en les remontant sur le sommet de sa tête.

— Si je me coiffais comme ça ?

— Tu serais jolie même chauve.

Nous nous regardions dans le miroir. Elle dit :

— Tu as grossi. Tu devrais suivre un régime.

— Pas question. Allons plutôt…

Le téléphone sonna. Jane se mit à rire. Je le laissai sonner un moment, puis je me décidai à répondre.

— C'est probablement ton M. Butcher qui a décidé que neuf cents dollars lui suffiraient, dit Jane. Pauvre homme !

— Les voleurs doivent apprendre à se faire voler, ripostai-je.

Je répondis au téléphone. C'était Alice, qui alla droit au but :

— M. Dawlish a dit que vous veniez tout de suite. Il y a quelque chose d'urgent.

— J'arrive, Alice.

34

Il tombait de la neige fondue quand nous arrivâmes à Charlotte Street. Un homme au volant d'une voiture rutilante jeta une série d'étincelles sur la route humide en passant à côté de nous. Nous montâmes dans le bureau de Dawlish, au dernier étage. L'ambiance sentait la crise : Dawlish avait enlevé sa veste.

— Enlevez ce plateau de cette chaise et asseyez-vous, dit-il.

Alice glissa la tête dans l'entrebâillement de la porte, parce qu'elle ne se souvenait pas du nombre de sucres que je prenais.

— Quelle nuit ! dit Dawlish. Désolé de vous mêler à ce tohu-bohu. J'ai manqué mon bridge du mardi soir pour la première fois depuis deux ans.

— Nous devons tous faire des sacrifices, dis-je.

— Oui, quand le patron dit : « saute », répliqua Dawlish.

— Je comprends, dis-je. De toute façon, je n'avais pas de projets pour ce soir.

Jane me jeta un regard rapide.

— C'est le plan Strutton, donc votre faute, dit Dawlish avec un ton de reproche feint. Nous avons la permission de créer un comité consultatif… (Il regarda les papiers de son bureau et lut *Strutton Plan Advisory Board*.)

Il releva la tête et m'adressa un sourire épanoui. Derrière le sourire, le visage était préoccupé.

— Le titre ne manque pas de subtilité.

— Oui, dit Dawlish sans enthousiasme.

Puis il se lança dans des considérations administratives. C'était son fort, les tactiques des bureaucrates. Et cela avait son importance.

— Le comité nommera quatre sous-comités spécialisés : pour les communications, les finances, la formation du personnel et pour le système de contrôle. Il est bien évident que nous ne pourrons pas avoir la majorité dans tous ces comités. Donc, voilà ce que nous allons faire : nous allons laisser les gens des ministères prendre tout ce qu'ils voudront, en fait nous appuierons quelques-uns de leurs candidats, en nous répandant en louanges sur leur compétence. À ce propos (Dawlish se moucha bruyamment dans son grand mouchoir), n'exagérez pas les compliments. On commence à les prendre pour des sarcasmes.

— Pas possible ! dis-je.

— Si, riposta Dawlish. Une fois que les sous-comités seront plongés dans la discussion jusqu'au cou, vous suggérerez la création d'un cinquième comité : un comité de comptabilité, pour la coordination...

— Bonne idée, remarquai-je. Ce sera comme pour le rapport Dundee, où vous avez fini par avoir la haute main sur tous les travaux. Je me demandais comment vous vous y étiez pris...

— Pas un mot là-dessus, mon vieux. Je voudrais réussir mon coup avant que la ruse ne soit éventée.

— Compris, répliquai-je. Mais quand commence-t-on ?

— Eh bien, vous ferez partie du comité consultatif, et je ne vois pas qui pourrait être président du comité des finances, si ce n'est vous.

— Je comprends votre idée. À nous deux, nous aurons la situation bien en main. Je voudrais savoir la date à laquelle ces comités entreront en fonction.

Dawlish regarda son agenda.

— Le comité consultatif est convoqué pour jeudi, à 3 h 30, Storey Gate, pour sa première session.

— Mais je ne peux pas rester ici jusqu'à jeudi. La situation à Albufeira est trop fluide.

— Ah! oui, je voulais vous en parler, dit Dawlish.

Il se dirigea vers la machine IBM qui coordonnait toutes les informations et manipula les commandes.

— Je voudrais que vous complétiez votre rapport aussitôt que possible.

Il me tournait le dos. Je savais que c'était là le sujet dont il voulait réellement me parler et que le plan Strutton n'avait été qu'un prétexte. Dawlish revint à son bureau et baissa un des boutons de l'interphone. Ce fut Alice qui répondit. Il demanda :

— Le nom en code pour l'opération Albufeira?

La voix d'Alice nous parvint, déformée par le minuscule haut-parleur :

— Alforreca, dit-elle.

— Très érudit, remarquai-je en souriant à Dawlish.

C'était le nom portugais des cœlentérés que nous appelons « galères ».

Dawlish sourit et rabattit le bouton pour communiquer mon compliment à Alice. Puis, se tournant vers moi, il remarqua :

— Nous mettons un terme à l'opération Alforreca, déclara-t-il. J'ai besoin de votre rapport pour le ministre demain matin. J'ai reçu des instructions spéciales à cet effet.

— Rien à faire, dis-je.

— Je ne vous suis pas, dit Dawlish.

— Je n'ai pas encore fini, dis-je. Il me reste beaucoup de choses à faire.

Dawlish se hérissa :

— C'est possible. Mais on vous relève de cette mission. La perfection est une notion purement idéale.

— Une décision prise en haut lieu également. J'ai l'intention d'y retourner quand il me conviendra, fût-ce en prenant un congé.

— Soyez raisonnable, protesta Dawlish. Qu'est-ce qui ne va pas ?

Je tirai le paquet de photos de ma poche. Vingt-trois pages de l'agenda personnel de M. Smith. Presque tout était rédigé dans le chiffre hermétique des hommes d'affaires : une écriture illisible. Il y avait d'obscurs rendez-vous à déjeuner, et des additions méticuleuses de toutes les dépenses déductibles des déclarations d'impôts. La référence au VNV concernait la vente de marchandises non définies, et la nomenclature numérique de comptes en banque en Suisse.

Une page, toutefois, contenait quelque chose de plus spécifique :

Dites à K :
BOARDALE EXPAXIAL SASHERIES SUIST
COVERTLY BARONESS ZAYAT HORNPOCK
  C'était signé XYST.

Je n'y aurais rien compris si je n'avais remarqué les mots « Moreing & Neal » sur la page suivante.

J'avais demandé à mes collègues de me trouver le code commercial de Moreing & Neal pendant que les épreuves séchaient. Maintenant, j'expliquais à Dawlish :

— Ça signifie : construction d'une usine de produits chimiques. Puis « cargaison expédiée », puis « valeur sept mille livres », puis « donnez documents ». Le mot « baroness » signifie « méfiez-vous de », et « hornpock » « n'en parlez pas ». Zayat et Xyst sont des mots de code réservés à l'usage personnel. Xyst est manifestement la signature de Smith.

J'attendis que Dawlish eût digéré ce que je venais de dire. Il faisait tournoyer sa blague à tabac comme une fronde.

Je poursuivis :

— Cela signifie que Smith a envoyé à K (probablement Kondit) pour sept mille livres d'équipement de laboratoire (probablement pour faire des expériences sur la fonte de la glace). Les « documents » représentent la matrice à frapper les souverains (il n'y a pas de mot-code plus approprié) et Zayat, c'est moi. C'est de moi qu'il faut se méfier, selon Smith.

— Je comprends son point de vue, remarqua Dawlish.

Il enleva solennellement ses lunettes, s'essuya le visage avec son grand mouchoir blanc, remit ses lunettes, et relut tout le message. Puis il brancha l'interphone :

— Alice, dit-il, venez donc nous voir.

Comme le dit Dawlish, tout cela était un peu incohérent. Ça ne collait pas très bien. Pourquoi Smith financerait-il l'établissement d'un laboratoire dans cet endroit perdu, alors qu'il serait tellement plus facile de le faire discrètement à Londres ? Et Dawlish estimait qu'interpréter le mot document comme signifiant «matrice» était une extrapolation un peu osée.

Le service de Dawlish dépendait directement du gouvernement. On comprenait fort bien que le vieil homme hésitât à contrarier un ministre, un membre influent du Cabinet.

Finalement, au bout de quatre Nescafé, Dawlish s'adossa dans sa chaise et dit :

— Je suis convaincu que vous vous trompez du tout au tout. Il fixait un coin du plafond. Convaincu, répéta-t-il. (Le regard d'Alice croisa le mien.) C'est pourquoi il n'est que… (il s'interrompit) il n'est que moral, affirma-t-il, de continuer l'enquête pour protéger la réputation de Smith.

C'est ce que Dawlish déclara au plafond et, pendant qu'il faisait cette déclaration, je regardais Alice sans en avoir l'air. Chose incroyable, je vis les coins de sa bouche se relever imperceptiblement.

Je me levai.

— N'abusez pas de ce que je vous dis, demanda Dawlish avec anxiété. Je ne peux pas gagner beaucoup de temps.

Il se tourna de nouveau vers le dossier du plan Strutton :

— Un de ces jours, tu te feras f… à la porte, l'entendis-je murmurer au classeur, en partant.

Je suppose qu'il en avait assez de s'adresser au plafond.

35

Dans la cave de l'immeuble, l'air est chauffé et filtré. Deux policiers armés, montant la garde dans un bureau aux cloisons de bois, me photographient avec un appareil Polaroid ; la photo sera classée. Les grands classeurs de métal vibrent du bourdonnement des ventilateurs de climatisation et, de l'autre côté de la porte tournante, il y a un autre contrôle. C'est l'endroit le plus secret du monde. Je demandai M. Cassel, et il fallut un certain temps pour le trouver. Il m'accueillit en vieille connaissance, signa pour moi, et m'introduisit dans le sanctuaire. Des deux côtés, il y avait des classeurs de dix pieds de haut et, tous les quelques mètres, il fallait contourner des échelles roulantes, ou des officiers du WRAC, qui ont la charge des archives.

Le plafond était couvert de tuyauteries. Quelques-unes étaient percées de trous d'aiguille, d'autres de larges orifices. Les précautions contre le feu étaient multiples, et extensives. Nous arrivâmes dans une chambre basse, qui avait l'air d'un centre de dactylographie. Devant chaque secrétaire il y avait une machine à écrire électrique, un téléphone avec un grand numéro à la place du cadran et une machine qui ressemblait à un chariot de machine à écrire.

Chaque document reçu de l'espionnage commercial ou des services gouvernementaux est recopié par ces femmes dans cette pièce. Une fois tapé (en caractères particuliers à ces machines, sur du papier capable de résister à la chaleur et à l'eau), le chef de service compare l'original et le résumé qui vient d'être tapé, appose son timbre au coin du document, et la dactylographe introduit l'original dans la petite machine où il est réduit en miettes. La destruction de l'original assure que la source de l'information ne sera pas révélée.

Je regardai une des dactylographes qui venait de s'arrêter de taper, et prenait son téléphone. Le chef de service se dirigea vers elle, et ils comparèrent la copie et l'original. La dactylographe expliqua quelles étaient les informations qu'elle avait conservées, quelles étaient celles qu'elle avait omises et pour quelles raisons. (Ces « secrétaires » font partie des cadres des services de renseignement.) Le chef de service tamponna les documents avec un instrument qui ressemblait à des pinces coupantes, puis l'original fut introduit dans le broyeur. Je remarquai le soin avec lequel cela était effectué. Le chef de service et la dactylographe tenaient chacun le document par un coin au-dessus du broyeur. C'était fait sans aucune hâte. Cet endroit respirait la sérénité.

Le bureau de Kevin Cassel était une sorte d'aire vitrée à laquelle on accédait par un escalier en bois très raide. De là-haut nous pouvions voir près de deux hectares de dossiers. De place en place, suspendus aux piliers de brique rouge, on voyait des seaux, ou des extincteurs.

— Alors, marin, comment va ? demanda Cassel.

— Les nouvelles voyagent vite, remarquai-je.

— Oui, dit Kevin. Le Cabinet nous a promis que nous serions les premiers à être informés de l'actualité après les journaux. Vous grossissez, mon vieux.

Il me fit signe de m'asseoir dans un vieux fauteuil administratif qui avait manifestement de longues années de service. Kevin sourit, attendant que je parle. Son visage en pleine lune était beaucoup trop grand pour son corps mince, et cette disproportion était soulignée par une calvitie croissante.

— C'est la première fois que nous recevons votre visite depuis Charlie Cavendish…

Il laissa la phrase en suspens. Nous avions l'un et l'autre de la sympathie pour Charlie.

Kevin me regarda une minute sans parler et remarqua ensuite :

— On m'a dit que quelqu'un avait mis un pétard sous la Volkswagen.

— Oui, dis-je. Probablement le groupe Rootes.

— Méfiez-vous. Ils pourraient ne pas aimer cette suggestion.

Je dis :

— C'est une boîte de métal qu'il voulait détruire, pas moi.

— Belle déclaration dans la bouche d'un moribond, dit Kevin. À votre place, je prendrais, malgré tout, mes précautions.

Il chercha, dans sa jaquette de tweed vert, son calepin et son vieux stylo.

— Accepteriez-vous de me dire quelque chose, et de l'oublier aussitôt après ?

Kevin revissa aussitôt le bouchon de son stylo, referma son calepin et le remit en place :

— Que voulez-vous savoir ? Avez-vous l'intention de planquer un microphone dans un mur du 12, Downing Street, ou une machine infernale dans la tribune de la presse ?

— Non, ce sera pour la semaine prochaine. Je voudrais…

Je m'interrompis.

— Voilà qui va vous mettre plus à l'aise.

Il fit descendre un grand tube de néon du plafond, jusqu'à ce qu'il reposât sur le bureau, entre nous. Cela brouillait irrémédiablement tout microphone connu. C'est pourquoi les agents secrets utilisent de préférence les téléphones publics situés près d'une enseigne au néon. Kevin alluma le tube, qui, après un instant de scintillement, illumina son visage d'une clarté bleue.

Il fallut à Kevin quelques minutes seulement pour me présenter les documents que je voulais voir. Je parcourus rapidement le rapport médical décrivant la taille, le poids, les cicatrices, grains de beauté, le groupe sanguin, les réflexes, la dentition et les divers traitements médicaux subis par le sujet depuis l'âge de onze ans.

Je tournai la carte.

SMITH Henry J. B. *période de renouvellement de cette fiche :* six mois.

Naissance
Né en 1900
Type caucasien blanc. Sujet britannique de naissance.
Passeports : Nations unies et Royaume-Uni.

Milieu social
Eton/New/Horse Guards/Bourse. Marié avec P. F.
Hamilton. 1 enfant.

Propriétés immobilières
Maidenhead. Albany. Ayrshire. *Clobus* Whites.
Travellers.

Compte en banque
Westminster : Agence de Green Park. 19004 dep., 783
livres courant.

Actions (voir p. k. 9)

Intérêts
Horticulture : collectionne les premières éditions de livres
d'horticulture et les gravures de fleurs. (Un grenadier
nain à fleurs écarlates porte son nom.)
Art : possède 3 Bonnard, 2 Monet, 5 Degas, 5 Bratby.

Pressions
rh 139. wh. 12 gh. 190 gh. 980.

Maniement des armes à feu
Chasse la grouse. Bon tireur.
Bentley. Continental/Mini Cooper. Avion Cessna. 320
Skynight.

Personnel
Maîtresse (voir 190 gh/980).
Ne boit pas. Végétarien.

Confidentiel

Membre de Célébrité/Eve/Nell Gwynne sous le nom de Murray.

A un petit compte courant sous le nom de Murray.

Pas de tendances homosexuelles connues. En septembre 1952 le service de (effacé) du ministère de (effacé) a fait faire des avances homosexuelles afin d'obtenir des preuves. (Cas 1952/kebs/832.) Il n'y a pas eu de réaction.

Voyages
Fréquents.

Photos
aa/1424/77671.

36

Kevin alla jusqu'au calendrier de *Country Life*, le regarda longuement, et se retourna avant de répondre à ma question.

— Quel genre d'homme est-ce ? répéta-t-il. Difficile à dire en quelques mots. On l'a fait *Fellow* de *All Souls'* avant la trentaine. Ce qui signifie que ce n'est pas un imbécile. Il y a une histoire qui court sur un incident de sa campagne électorale. Peut-être n'est-elle pas vraie, mais je vais toujours vous la raconter. Vous savez qu'on invite les candidats à rester à dîner pour voir s'ils glissent leur serviette dans leur col ou s'ils boivent dans le rince-doigts. Eh bien ! lui, on lui a servi de la tarte à la cerise pour voir comment il se débarrasserait des noyaux. Mais il a déjoué le piège en avalant les cerises avec leur noyau. Ce n'est peut-être pas vrai, mais ça lui ressemble. C'est à *All Souls'* qu'on fait la pluie et le beau temps. Ce sont ces gars-là qui sont les conseillers du gouvernement. Tous les week-ends, les *Fellows* et une foule de *quondams*, c'est-à-dire d'anciens Fellows, se réunissent pour un bon gueuleton. Après quoi ils bavardent. C'est le genre d'hommes qui ont consacré beaucoup de temps et d'argent à apprendre à différencier le caviar russe du caviar iranien. Smith a environ quatre-vingt-dix mille livres par an.

Je sifflai doucement. Kevin répéta :

— Quatre-vingt-dix mille par an. Il paie des impôts sur une partie de ce revenu, et siège dans dix ou douze conseils d'administration, où l'on aime avoir un représentant du réseau des anciens. L'apport de Smith est qu'il a autant d'influence sur le monde des affaires à l'étranger qu'ici. Il peut se permettre de déjouer tous les paris en soutenant subitement la partie adverse. Il a payé à l'Allemagne et à l'Italie des avions, des tanks, des canons, destinés à Franco, en 1936. Il a aussi financé discrètement une division de loyalistes. Quand Franco a gagné, Smith a obtenu des actions dans les brasseries et les aciéries espagnoles. Lorsqu'il est allé en Espagne en 1947, une garde d'honneur est venue l'attendre, sabre au clair, à l'aéroport. Smith fut très gêné et dit à Franco de ne jamais recommencer. En Amérique du Sud, il glisse toujours quelques milliers de livres dans la main des généraux mécontents. Il est persona grata auprès de Fidel Castro. C'est un homme qui spécule sans risque.

Le téléphone rouge sonna.

— Cassel. (Kevin se pinça le nez.) Des diagrammes compliqués ? (Il se pinça le nez de nouveau.) Photocopiez-les comme d'habitude, et montrez les épreuves aux ingénieurs avant de détruire l'original. (Il écouta de nouveau.) Bon, montrez-leur la partie qui ne porte pas de nom.

Il raccrocha le téléphone :

— Bientôt, ils me demanderont s'ils peuvent aller aux lavabos. Où en étais-je ?

— Je voulais vous demander ce que vous saviez de ses investissements en matière de bateaux, dis-je. N'est-ce pas là qu'il a fait fortune ?

— C'est vrai : l'aspect fiscal de la question. J'oublie toujours que vous êtes expert financier.

— Allez donc raconter ça au directeur de ma banque, ripostai-je.

Kevin alluma nos cigarettes, et passa plusieurs secondes à enlever un brin de tabac sur ses lèvres :

— L'assurance maritime du gouvernement pendant la guerre, vous avez entendu parler de ça ?

— Le gouvernement britannique assurait tous les bateaux qui transportaient des cargaisons aux États-Unis, c'est ça ?

— Oui, dit Kevin. Les fournisseurs d'outre-mer voulaient de l'argent avant que les marchandises ne quittent le port de Sydney ou de Halifax. Ce qui arrivait ensuite à la cargaison devait rester une affaire privée entre nous et les Allemands.

Il sourit :

— Comme votre police d'assurance et la mienne, les polices d'assurance de bateaux en 1939 portaient la mention « excepté pour faits de guerre ». Il était *possible* d'être assuré contre une attaque de sous-marins dans l'Atlantique Nord, mais les actuaires avaient peu d'expérience, et les assesseurs, tendance à être pessimistes. C'est pourquoi le gouvernement décida de créer sa propre assurance. Les armateurs des bateaux transportant des cargaisons à destination du Royaume-Uni seraient assurés contre le risque d'être envoyés par le fond. Il n'a pas fallu beaucoup de temps pour que les gars malins se rendent compte de l'aubaine, et il y a des gens qui ont l'esprit vif chez les armateurs d'ici au Pirée. Pour devenir riche, il suffisait d'acheter un vieux rafiot rouillé, de le faire inscrire à Panama où tout est accepté dans le domaine des équipages, des salaires, de l'état de navigabilité et de l'expérience professionnelle, puis de l'accrocher à un convoi de l'Atlantique Nord, qu'il ralentissait jusqu'à six nœuds, en faisant suffisamment de fumée pour alerter chaque sous-marin dans les parages.

— S'il arrivait à Liverpool, on était riche. S'il coulait pendant le trajet, on était plus riche encore. (Kevin sourit.) C'est ainsi que Smith a fait fortune.

Le téléphone sonna.

— Rappelez-moi, je suis occupé, dit Kevin, raccrochant aussitôt.

Il revint à la fiche :

— Vous avez compris la rubrique *pressions* ?

— Je ne suis pas un expert, mais je suppose qu'il s'agit de faiblesses humaines, comme les femmes, ou l'appartenance au comité central du parti tory.

— C'est ça, approuva Kevin.

— Je sais, par exemple, que les références commençant par « mh » signifient « affaires sexuelles ».

— Complications féminines, corrigea Kevin.

— Quelle jolie façon d'exprimer les choses, dis-je.

— Elle vous rend cynique lorsqu'on travaille ici, répliqua Kevin, avec un sourire de réminiscence.

Je continuais à parcourir la fiche.

— *Gh*, qu'est-ce que c'est ?

— Cela indique un acte illégal, répondit aussitôt Kevin.

— Quelque chose qui a motivé des poursuites ?

— Grands dieux non, dit Kevin stupéfait. Il n'a jamais comparu devant le moindre tribunal. Non, pour tout ce qui a été révélé par la police, il y a une autre sorte de fiche, une fiche *J*.

— Je vous fais volontiers cadeau des détails administratifs, dis-je. Et *wh*, qu'est-ce que cela signifie ?

— Corruption de fonctionnaire.

— Toujours sans poursuites ?

— Je viens de vous le dire : il y aurait un *J* si c'était officiel. Et ce serait une fiche *wj* s'il avait été *accusé* de corruption de fonctionnaire.

— Et *rh* ? demandai-je.

— Transaction illégale, dit Kevin.

Maintenant je commençais à comprendre le système, et j'avais trouvé en même temps ce que je cherchais.

37

Après que Jane m'eut montré les notes révisées du plan Strutton, après que je les eus mises en pièces de la taille de flocons de neige que je déversai dans la corbeille à papier, nous reprîmes tout par le commencement. Puis, tandis que Jane tapait le rapport, je me remis à penser à Smith. Il y avait encore deux détails le concernant qui n'étaient pas clairs. J'appelai Kevin, et après quelques phrases banales, je lui demandai :

— À propos de l'affaire dont je vous ai parlé ce matin…

— Oui, dit Kevin.

— Il a fait la guerre ?

— Non, sa mère s'est bien débrouillée : trop jeune pour la première, trop vieux pour la seconde.

— Parfait. Deuxième question : comment se fait-il que vous aviez son dossier à portée de main ?

— C'est simple, vieille noix, dit Kevin. Il avait fait demander le vôtre le matin même.

— Elle est bonne, dis-je, et j'entendis Kevin s'esclaffer en raccrochant.

Peut-être plaisantait-il. Personne au WOOC (P) n'avait de fiche chez lui. Mais moi, je ne riais pas.

38

Le valet de chambre me fit suivre de longs couloirs feutrés par d'épais tapis, sous le regard d'hommes aux habits rouges et aux culottes étroites qui me contemplaient solennellement du haut de leur cadre, dans une pénombre patinée et vernie. M. Smith était assis derrière une vaste table astiquée comme la botte d'un membre de la garde.

Une frêle pendulette du XVIIIe siècle, à panneaux en marqueterie, rythmait le silence, et de la cheminée dessinée par Adam rayonnait la lueur rose d'un discret feu de boulets, dont les flammes se reflétaient sur les moulures du plafond. Sur la table de Smith, un vaste abat-jour rabattait la lumière sur trois tas de papiers et de coupures de journaux. Je ne voyais du maître de céans que le sommet du crâne. Il m'évita l'impression embarrassante d'avoir interrompu son travail en le poursuivant sans m'accorder un seul regard. Le valet de chambre me fit signe de prendre place dans un fauteuil Sheraton, d'aspect rébarbatif.

Smith, du doigt, cherchait quelque chose dans un livre ouvert et griffonna une remarque dans la marge d'un des feuillets dactylographiés avec un stylo en or. Il corna le coin de la page, écrasa le pli de son ongle, et ferma le dossier en cuir.

— Fumez !

Il n'y avait pas la moindre trace d'interroga-
tion dans sa voix. D'un geste autoritaire, il poussa
une boîte à cigarettes vers moi du dos de la main,
revissa son stylo, et le mit dans la poche de sa veste.
Il ramassa sa cigarette et, la portant à sa bouche, il
en tira une bouffée sans lâcher le mégot malmené
et souillé. Puis il l'écrasa dans le cendrier avec une
violence contenue, lacérant le papier de ses ongles
roses jusqu'à répandre le tabac de la cigarette éven-
trée. Enfin, il épousseta sa veste pour en enlever la
cendre.

— Vous vouliez me voir ? dit-il.

Je sortis un paquet tout chiffonné de gauloises.
J'en allumai une avec une allumette que j'envoyai,
avec une détente du pouce, en direction du cendrier,
en calculant la trajectoire de telle sorte qu'elle tombât
sur les papiers bien ordonnés de Smith. Il la ramassa
d'un geste méticuleux et la mit dans le cendrier.
J'inhalai la fumée râpeuse.

— Non, pas vraiment, dis-je d'une voix volontairement indifférente.

— Vous êtes discret. C'est une qualité appréciable.

Il prit une petite fiche tout usée, l'approcha de la
lumière, et lut paisiblement un résumé de ma carrière
dans l'Intelligence Service.

— Je ne sais pas de quoi vous parlez, ripostai-je.

— Bon, bon, dit Smith, pas le moins du monde
découragé. Le rapport dit : « A tendance à pousser les
investigations plus loin qu'on ne le lui demande, par
curiosité. Il faut lui faire comprendre que la curiosité
est un défaut dangereux chez un agent secret. »

— Et c'est ce que vous vouliez faire, me dire que
la curiosité est dangereuse ?

— Pas « dangereuse », dit Smith.

Il se pencha pour choisir une nouvelle victime dans la boîte à cigarettes en ivoire. La lumière, pendant un instant, éclaira son visage. C'était un visage dur, osseux, qui brillait dans la lumière électrique comme le masque sans expression d'un buste d'empereur romain. Les lèvres, les sourcils, les cheveux sur les tempes étaient également dénués de couleur. Il leva les yeux :

— Fatale, déclara-t-il.

Il prit la cigarette, la planta dans son visage blanc, et l'alluma.

— En temps de guerre, on fusille les soldats s'ils refusent d'exécuter des ordres, même lorsqu'ils sont anodins, déclara Smith de sa voix impérieuse.

— Peut-être. Mais on ne devrait pas.

— Oh ! vraiment, riposta Smith. Et pourquoi pas ?

Il avait perdu son ton traînant.

— C'est dans le *Droit international* d'Oppen-heim, sixième édition. Seuls les ordres légitimes doivent être exécutés.

Ce n'était pas la réponse que Smith attendait, et il rougit de colère.

— Vous exigez qu'une enquête entreprise au Portugal soit continuée. Le gouvernement a donné ordre d'y mettre un terme. Nous n'aurions jamais dû autoriser une telle opération au départ. Votre refus d'obtempérer est une insolence et, à moins que vous ne changiez d'attitude, je demanderai que les mesures les plus sévères soient prises à votre égard.

Son « je » était enveloppé d'une discrète vénération.

— Personne n'a le moindre titre de propriété sur un espion, monsieur, ripostai-je froidement. On lui verse un salaire. Je travaille pour le gouvernement, parce que j'aime vivre dans ce pays. Mais cela ne signifie pas que je me laisserai traiter en esclave par un millionnaire mégalomane. En outre, il est inutile de brandir le mot « fatal » devant moi. Mon métier m'a appris à déjouer la fatalité.

Smith cilla, et s'adossa à son fauteuil Louis XIV.

— Ainsi, dit-il finalement, c'est cela votre pensée ? Vous croyez que *vous*, vous avez droit aux mêmes prérogatives et à la même autorité qu'un ministre ?

Il mettait de l'ordre sur son bureau.

— Le pouvoir ressemble à un œuf sur le plat, dis-je. Vous avez beau essayer de le partager équitablement, il y a toujours quelqu'un qui en a un plus gros morceau.

Smith se pencha et dit :

— Vous pensez que, parce que je suis majoritaire dans plusieurs sociétés fabriquant des avions à réaction et des armes automatiques, je ne devrais pas intervenir dans le gouvernement de mon pays ? (Il leva la main en un geste autoritaire.) C'est à moi maintenant de vous rappeler à l'ordre. Vous êtes un espion. Moi, je ne mets pas en question les motifs que vous avez d'agir en tant qu'espion. Mais vous vous croyez en droit de critiquer mes motifs en tant qu'industriel. Vous déclarez que vous, vous travaillez pour le gouvernement. Quel gouvernement ? Voulez-vous dire que lorsqu'un nouveau parti politique arrive au pouvoir, tous les services secrets sont dissous pour faire place aux hommes du nouveau gouvernement ? Non, ce n'est pas ce que vous avez voulu dire. Vous avez voulu dire que vous travaillez pour ce pays, pour sa prospérité, pour sa puissance, pour son prestige, son niveau de vie, son système de sécurité sociale, pour le plein-emploi. Vous travaillez pour toutes ces choses, afin qu'elles continuent à être et à s'améliorer. Les industriels font la même chose. Si je peux, par un moyen quelconque, vendre quinze mille véhicules de plus l'année prochaine, il est de mon devoir de le faire. Mon devoir est d'augmenter le bien-être de chaque Anglais. C'est pourquoi votre devoir est d'obéir à mes ordres dans ce domaine. Ces ordres vous sont transmis par le truchement d'une hiérarchie tout à fait légitime, et tous vos supérieurs le comprennent. Si, afin de vendre mes quinze mille véhicules, j'ai besoin de votre aide, vous devez me l'apporter… (il fit une pause) sans questions. Votre fonction n'est qu'une extension de la mienne. Elle est de procurer le succès à n'importe quel prix, que ce soit par la corruption, le vol, ou le meurtre. Des hommes comme vous travaillent dans l'ombre des recoins subconscients de l'âme de cette nation. Vous faites des choses que l'on s'empresse d'oublier. Notre monde est ainsi fait : c'est sa réalité quotidienne. Personne ne l'a choisie, ni voulue. On ne reproche pas à l'historien les horreurs qu'il raconte, pas plus qu'une encyclopédie médicale n'est considérée comme la cause des maladies qu'elle décrit. Il en va de même pour vous. Vous n'êtes qu'un chiffre, l'encre avec laquelle l'Histoire est écrite.

— J'alimente les chaudières du vaisseau de l'État ? demandai-je humblement.

Smith m'adressa un sourire froid.

— Vous avez moins de valeur qu'un contrat pour les chantiers navals de la Clyde. Vous venez ici discourir sur des problèmes éthiques comme si l'on vous employait pour prendre des décisions éthiques.

Or vous n'êtes rien dans cette opération. Vous ferez ce que l'on vous ordonnera de faire : rien de plus, rien de moins. On vous donnera en échange une rémunération équitable. Il n'y a rien à discuter.

Il s'adossa dans sa chaise. Elle craqua sous son poids. Sa main osseuse tira sur un cordon rouge qui pendait à côté du rideau.

Dans ma poche, à côté des clefs et de quelques pièces de six pence destinées aux compteurs de stationnement, je sentais une surface froide et polie. Je la serrai dans mes doigts au moment où le valet de chambre ouvrait la porte à double battant.

— Veuillez reconduire monsieur, Laker, dit Smith.

Je ne bougeai pas. Je me contentai de déposer le métal argenté, luisant, sur le bureau en acajou. Smith le regarda, étonné et fasciné. D'un mouvement des doigts, je le fis virevolter et glisser dans sa direction. L'objet traversa la surface vernie avec un cliquetis métallique, comme s'il se heurtait à son propre reflet.

— Qu'est-ce que cela signifie ? demanda Smith.

— Un cadeau pour l'homme qui a tout, dis-je. (J'observais le visage de Smith.) C'est une matrice pour faire des souverains en or.

Du coin de l'œil, je regardais le valet de chambre. Il ne perdait pas un mot de ce que je disais. Peut-être envisageait-il d'écrire ses Mémoires pour les journaux du dimanche.

Smith passa sa langue sur ses lèvres sèches, comme un python affamé.

— Attendez en bas, Laker, dit-il. Je vous sonnerai. (Il attendit que le valet de chambre fût sorti.) En quoi cela me concerne-t-il ? demanda-t-il.

— Je vais vous le dire, ripostai-je en allumant une nouvelle gauloise pendant que Smith s'agitait nerveusement, en proie à d'obscurs sentiments de culpabilité.

Cette fois, il laissa l'allumette éteinte là où elle tomba.

— Je sais qu'il y a de l'équipement pour mines de tungstène qui est régulièrement envoyé en Inde. Ces Indiens doivent véritablement être stupides, car ils ont reçu des tonnes de ce genre d'équipement, *alors qu'il n'y a pas de tungstène dans toute la péninsule indienne !* On ne peut pas leur en vouloir s'ils essaient de le revendre, à quelques kilomètres plus au nord.

La cigarette de Smith était restée sur le bord du cendrier et se consumait toute seule.

— Il y a des gens à Tchoung-King qui sont prêts à en acheter autant que les Indiens peuvent en envoyer. Bien entendu, il ne serait pas convenable qu'une compagnie britannique, administrée par un membre du Parlement, vende des biens stratégiques aux Chinois, et les Américains ne tarderaient pas à la mettre sur leur liste noire. Mais avec le désordre qui règne en Inde, tout le monde y trouve son compte.

Je me tus. La pendulette battait comme un cœur mécanique.

— Tout cela est pure supposition, objecta Smith.

Je pensais à l'agenda que le trop confiant Butcher m'avait permis de photographier : il était facile de supposer avec exactitude.

— Ce sont des suppositions, dis-je.

— Soit, dit Smith d'un ton résigné, mais décidé, d'homme d'affaires. Combien voulez-vous ?

— Je ne suis pas venu faire du chantage, dis-je. Je veux simplement continuer à faire mon travail de chauffeur de chaudière sans ingérence de la passe-relle. Je ne vous persécute pas. Je ne cherche pas à entreprendre quelque chose qui serait hors du cadre de ma mission. Mais je veux que vous gardiez ceci en mémoire : c'est moi qui suis responsable de cette enquête, pas mon supérieur, ni aucune autre personne de mon service. Et c'est moi qui déciderai de ce qui vous arrivera à la suite de cette enquête, que le résultat soit bon ou mauvais pour vous. Maintenant, vous pouvez sonner Laker. Je m'en vais.

39

Lorsque j'arrivai à Charlotte Street, le mardi matin, Alice était assise à côté de la standardiste, en train de comparer des points de tricot et de boire du café. Quand elle me vit, elle me fit signe de son doigt osseux, et je la suivis dans le bureau que Dawlish lui avait récemment accordé. Il était encombré jusqu'au plafond d'annuaires, d'index géographiques, de *Who is Who* et de dossiers bourrés de coupures de journaux. Alice s'assit derrière la minuscule table qui lui servait de bureau. Je l'aidai à déplacer un grand sac de sucre, une bouilloire électrique, deux dossiers secrets scellés de plomb, une boîte de Nescafé avec une fente dans le couvercle, qui servait de tirelire pour les cotisations destinées à payer nos multiples cafés. Alice tourna les pages d'un dossier.

— Vous avez bu votre café ?

— Oui, dis-je.

— Alforreca continue, dit Alice. Je veux dire, officiellement. Nous avons reçu des ordres.

— Parfait, dis-je.

— Ne prenez pas cet air détaché avec moi. Je sais le mal que vous vous êtes donné.

— Cigarette ? lui dis-je, lui tendant le paquet de gauloises.

— Non, répondit Alice. Et n'empestez pas cette pièce avec votre fumée.

— Très bien, Alice, dis-je, remettant le paquet dans ma poche.

— On sent l'odeur pendant des jours entiers, expliqua-t-elle.

— C'est probablement vrai, admis-je.

— C'est tout, dit Alice.

Il me sembla curieux qu'Alice m'eût invité à pénétrer dans son bureau pour la première fois juste pour me dire cela. Alors que je me levais, Alice ajouta :

— Tâchez d'avoir l'air un peu surpris quand Dawlish vous annoncera la nouvelle. Le pauvre homme ne vous connaît pas comme moi.

— Merci, Alice, dis-je.

— Ne me remerciez pas, reprit Alice. Je veux simplement qu'il conserve ses pathétiques illusions.

— Oui, dis-je, mais merci quand même.

Je m'apprêtais à partir. Alice cria derrière moi :

— Il y a autre chose. Jennifer, dit-elle.

— Jennifer, répétai-je sans comprendre, passant en revue tous les noms de code que je connaissais.

— Jennifer travaille à la comptabilité. Elle se marie.

Je n'éprouvais ni culpabilité ni jalousie :

— Je ne sais même pas de qui vous parlez.

— Nous vous avons mis à contribution pour deux livres, pour le cadeau de mariage, dit Alice avec irritation.

Dans mon bureau je retrouvai Jane, qui se coiffait désormais cheveux relevés, une trentaine de lettres, et une foule de comptes rendus à lire : département d'État, contre-espionnage, Défense, plus les traductions dactylographiées sur papier rose du *Drapeau*

Rouge et du *Quotidien du Peuple*. Je mis tout le paquet dans ma serviette. La neige menaçait encore, et de lourds nuages gris pendaient du ciel comme un faux plafond. Les agents auxiliaires léchaient leurs bouts de crayon pour établir des contraventions, et la police de la route, armée d'énormes trousseaux de clefs, ouvrait les voitures rangées en double file pour les conduire à la fourrière. Je jetai un coup d'œil dans le bureau de Dawlish. Il était en train d'enfoncer des pointes dans le mur.

— Tiens, comment allez-vous ? Que pensez-vous de cela ? demanda-t-il.

C'était une estampe encadrée représentant Wellington perché sur un cheval bien nourri, agitant son chapeau d'une main et brandissant son épée de l'autre. Sous l'estampe, finement gravée sur cuivre, on lisait cette légende :

Tout l'art de la guerre
Et tout l'art de la vie
Consiste à découvrir grâce aux actes
Ce qu'on ignore.

— Très beau, dis-je.

— C'est un cadeau de mon fils. Il aime les citations de Wellington. Chaque année, au moment de l'anniversaire de la bataille de Waterloo, nous donnons une surprise-party à laquelle les invités doivent apporter des citations ou des anecdotes.

— Je fais de même chaque fois que je mets mes bottes, ripostai-je.

Dawlish me regarda d'un air soupçonneux. Je lui offris une cigarette pour l'apaiser.

— Vous avez l'intention de poursuivre l'opération Alforreca ?

— Je veux savoir pourquoi Smith a envoyé à Kondit un laboratoire de sept mille livres dans un trou perdu du Portugal.

— Vous pensez que cela expliquera tout le reste ? demanda Dawlish.

Il donna un coup de marteau dans la paume de sa main.

— Je ne sais pas. Je pourrai peut-être vous en dire davantage lorsque j'aurai parlé avec l'homme qui est en train d'examiner la boîte de métal. Je pense qu'on a mis des explosifs dans ma voiture pour la détruire, beaucoup plus que dans l'intention de me tuer moi.

Dawlish acquiesça.

— Faites un bon voyage à Cardiff.

Il recommença à taper sur les clous.

— Ne vous tapez pas sur le doigt en laissant le marteau tomber sur votre pied, dis-je.

Il acquiesça de nouveau, et martela le mur de plus belle.

Je m'accoudai sur la nappe tachée de sauce tandis que Paddington défilait lentement derrière la fenêtre. Des maisons noircies par la suie étaient serrées les unes contre les autres comme les soufflets d'un accordéon. Du linge gris séchait en claquant au vent. Au-delà de Ladbroke Grove, les minuscules jardins étaient étouffés par la multitude des détritus, et il ne resta que de la tôle rouillée et des vieux fils de fer, débris ultimes de choses effondrées.

— Potage, dit le garçon.

Et il plaça devant moi un bol ébréché. De l'autre côté de l'allée centrale, une jeune femme appliquait des cosmétiques en trois couleurs primaires sur son visage brouillé. Je repris mes mots croisés. La définition du 2, à l'horizontal, était « vieille solution ». Ce ne pouvait être que « mer ».

Et j'étais bien en train de passer à la planche au-dessus d'une mer profonde. J'avais réussi à neutraliser Smith pour le moment, mais je m'étais fait un ennemi d'un homme influent. Ce n'était pas une chose que l'on pouvait répéter souvent sans conséquences inconfortables. Peut-être ne pouvait-on même pas le faire une fois sans conséquences inconfortables.

La neige, au-dehors, s'était amassée en tas gris pâle au long des champs marron. Les mufles des vaches s'empanachaient de givre. Les bêtes erraient en groupes dans les vallées, morcelées par des lignes d'arbres dénudés où les oiseaux faisaient des taches frileuses.

Je rayai « esturgeon » et je le remplaçai par « cabillaud ». Cela donnait, au 23, « maquis ».

Les roues traversèrent en cliquetant un aiguillage, et ma cuisse de poulet tiède fut entourée de vagues concentriques de sauce claire. Je me demandais combien des gens à Albufeira étaient en rapport avec Smith. Qui avait volé les photographies et à qui les avait-on envoyées ? Pourquoi Fernie, ou du moins sa motocyclette à deux temps, s'étaient-ils trouvés partout à la fois ? La jeune femme blonde, au visage peint, couvrait maintenant ses ongles d'acétate rose. L'odeur âcre chatouilla mes papilles gustatives tandis que je mâchais le poulet. C'était mieux que pas de goût du tout. Je me demandais s'ils enverraient une voiture me chercher.

Une fois passé l'hôtel de ville de Cardiff, la circulation devint aussi dense que la pâte du *welsh rarebit*. Il était 5 h 30 lorsque nous prîmes la A469. La lande était morne, et balayée par le vent. Dans le crépuscule, notre agent à Cardiff me désigna la masse anguleuse de Caerphilly Castle. Sous le ciel sombre, les lumières des maisons de pierre clignotaient d'une lueur jaunâtre, anémique. Les boutiques étaient fermées depuis l'heure du déjeuner. Je n'avais pas d'allumettes.

L'homme de Cardiff parlait d'une voix de fausset, avec l'ironie celtique :

— Je croyais que vous autres, Londoniens, étiez assez riches pour avoir des briquets.

— Je croyais que vous autres, gens de Cardiff, étiez assez riches pour avoir des voitures chauffées.

Je soufflai dans mes mains et je reçus en réponse un regard d'amusement sagace, à moitié masqué par un chapeau mou crasseux. Les Gallois adorent échanger des injures.

Au-delà des ruines de Caerphilly Castle, des arbres rabougris poussaient tout courbés par le vent.

Nous quittâmes la route. La surface molle se ratatina, et j'entendis craquer la glace sous les roues. Le vent ululait dans l'antenne de la radio lorsqu'un homme chauve, en pull-over à col roulé, ouvrit la porte d'une petite maison de pierre. À l'intérieur, la lumière verte et froide d'une lampe à huile jetait des cercles sur la table et le plafond. Les courants d'air faisaient vaciller et flamboyer le feu, où une bouilloire noircie par la suie bourdonnait en émettant un jet de vapeur. Nous étions à peine assis qu'on nous servit un grand bol de thé noir et sucré, autour duquel nous réchauffâmes nos mains. J'allumai une cigarette avec un tison. Notre agent de Cardiff avala rapidement le thé brûlant et remit ses gants de laine sales, et son chapeau mou.

— Je me sauve, dit-il.

Je n'avais pas eu l'intention de laisser voir mon soulagement. Mais il remarqua :

— Ah ! vous êtes en train de vous rendre compte qu'on ne veut pas de vous ici, dans le Glamorgan.

Je souris.

Il reprit :

— Il suffit de téléphoner quand vous voudrez qu'on vienne vous chercher. Voulez-vous que je vous retienne une chambre à l'Hôtel de l'Ange ? Il y a un bar et une télévision. Ce sera comme si vous n'aviez pas quitté Londres.

De leurs voix chantantes, mes hôtes discutaient les détails de mon séjour. Finalement l'homme au pull-over à col roulé proposa de m'héberger pour la nuit :

— À la bonne franquette, vous savez. Je n'ai aucun luxe à vous offrir.

J'acquiesçai, et je regardai la minuscule voiture non chauffée repartir cahin-caha vers Cardiff sur la route pleine d'ornières.

Nous demeurâmes tranquillement assis devant la cheminée, grillant des toasts, et Glynn se levait de temps à autre pour fixer la porte arrière de la maison qui battait, ou chercher une cruche d'eau à la pompe dans la cour, ou s'occuper de ses cochons. Finalement, il alluma une vieille pipe patinée par un long usage et demanda :

— Vous avez reçu mon rapport ? La jeune dame avait très peur qu'il ne s'égare.

L'homme au pull-over à col roulé recevait aussi un petit traitement du WOOC (P) et un traitement plus modeste encore du *Home Office Forensic Science Laboratory*, à Cardiff.

— Il était parfait, dis-je. Mais j'ai voulu venir vous voir en personne car je connais très peu les drogues.

— Ah ! je vois. Moi, je suis un expert dans ce domaine.

40

— Je vais vous expliquer le problème des drogues,
dit Glynn, comme je le fais aux jeunes gens qui
viennent travailler dans ce laboratoire. Il y a trois
sortes de drogues dangereuses. La première est la
cocaïne, fabriquée à partir d'un arbuste, le coca.

— Mais la cocaïne n'est pas un problème grave,
je crois ? objectai-je.

— Ne croyez pas cela, vieux. Tout ça dépend
de l'endroit du monde où vous vous trouvez. Il y a
un million et demi de drogués rien qu'au Pérou. En
Amérique du Sud, la cocaïne fait partie du régime
quotidien depuis que les Incas l'ont utilisée comme
stimulant. On peut l'absorber en prisant, comme le
tabac. Les pauvres s'en servent parce que c'est la
seule façon d'apaiser leur faim, et la seule façon
d'affronter un travail extrêmement pénible dans des
conditions bien pires que celles que connaissent mes
cochons. Ils mâchent la feuille de coca mélangée à de
la cendre. D'un point de vue européen, évidemment,
c'est un problème mineur. La seconde drogue est
celle que nous appelons cannabis.

— Le hachisch.

— On l'appelle comme ça au Moyen-Orient.
Au Maroc, c'est le kif, et le bhang au Kenya. On
l'appelle encore chanvre indien, marijuana...

— Tout cela c'est la même chose ? demandai-je.

— En gros, oui. C'est une plante qui pousse facilement. Les fleurs et les feuilles sont transformées en cigarettes, et la résine, en plaquettes qui se fument dans une pipe : c'est ça, votre hachisch.

— Et où pousse-t-elle ?

— N'importe où, pour ainsi dire. Les trafiquants l'apportent de la Jordanie du Sud au Sinaï, par le Néguev, et, de là, l'introduisent en Égypte. Elle vient aussi de Syrie, par Sharm el-Sheik, au bout du Sinaï, en traversant l'Arabie saoudite. Ou vient par la mer de Tyr à Gaza…

— Compris, dis-je. Parlons maintenant de l'opium.

— C'est la troisième des drogues. Et c'est un cas très différent.

— Dites-moi ce que vous savez de l'opium, répétai-je.

La bouilloire sifflait depuis cinq minutes, et il régla la mèche de la lampe à huile pour nous donner suffisamment de lumière pour faire le thé. Je m'occupai des toasts, piqués sur une grande fourchette, et je rapprochai une assiette de beurre gallois du feu pour le ramollir. Dehors, le vent gémissait autour des minuscules fenêtres.

— L'opium, dit pensivement Glynn en réchauffant la théière. C'est une plante difficile à cultiver, donc recherchée. Le produit végétal qui est à la base de la contrebande croît n'importe où jusqu'à une latitude de 56°. Le pavot oriental, ou pavot commun, n'a pas d'intérêt pour le trafiquant, seulement le *Papaver somniferum Linnaeus*, qui donne l'opium. On le sème en mai pour la récolte d'août, et en août pour avril.

— Autrement dit, c'est un travail à plein temps, remarquai-je.

— Oui, dit Glynn. Il occupe les gens à longueur d'année. Pour obtenir l'opium… ça vous intéresse ?

— Bien sûr.

— On fait des incisions dans les capsules vertes du pavot avant que les graines ne mûrissent. Une sorte de latex blanc apparaît, et on attend dix à quinze heures qu'il durcisse et devienne marron. Ce jour-là, on sent l'odeur à plusieurs kilomètres.

— Y a-t-il plusieurs sortes de pavots ?

— Oui, cela va du violet-noir au blanc, mais je ne sais pas quelle espèce est la meilleure.

Glynn fit le thé, et je lui tendis un toast.

— Pourquoi le ministère de l'Intérieur analyse-t-il des échantillons ? demandai-je.

— Oh ! je vois ce que vous voulez dire. C'est parce que l'analyse nous permet de déterminer en gros la provenance d'un envoi. Mais c'est rarement nécessaire. La drogue arrive bien emballée, avec des marques de fabrique, et même des inscriptions recommandant de se méfier des contrefaçons. Vous le savez sûrement.

— Oui, j'ai déjà vu ce genre de paquets de temps à autre, dis-je. Mais où cultive-t-on le pavot ? Vous ne l'avez pas encore dit.

— On parle beaucoup de Chiengrai en Thaïlande du Nord. Mais en réalité, on peut en dire autant de la région du Yun-nan et du Kwang-si. Ou pour généraliser, de la Birmanie, du Laos, du Siam et de la Corée. Les Américains prétendent que le gouvernement chinois encourage le trafic pour miner le moral des soldats américains. Mais la drogue tend à aboutir aux États-Unis de toute façon, parce que c'est là qu'elle se vend le plus cher. Jusqu'à présent, je vous ai parlé de la culture illégale. Mais la Yougoslavie, la Grèce, le Japon et la Bulgarie la cultivent également, de même que l'Inde, la Turquie et la Russie. Le Royaume-Uni en produit légalement quarante-cinq kilos par an.

— Mais c'est un produit qu'il faut raffiner ?

— Oui, dit Glynn, le latex brut ne vaut pas grand-chose. Il faut le transformer en morphine, puis en diacétylmorphine, c'est-à-dire, héroïne.

— Il faut un équipement important pour ça ?

— Non, le problème c'est l'évacuation des déchets. Il faut se débarrasser d'une quantité prodigieuse d'acide acétique, et si vous l'envoyez dans l'égout, cela attire fatalement l'attention. Vous savez ce que c'est que l'acide acétique, n'est-ce pas ?

— Oui, dis-je, c'est le produit que mon super-marché vend sous le nom de vinaigre.

— Supermarché, répéta Glynn en détachant chaque syllabe. Ça ne m'étonne pas des Londoniens.

Nous parlâmes longuement pendant cette nuit soli-taire au pays de Galles, en mangeant des sandwiches, et en buvant du thé fort, avec du lait de chèvre.

L'aube pointait avec des yeux rouges à l'horizon sans que nous ayons songé à aller nous coucher. Glym sommeillait dans son fauteuil. Moi, je n'arri-vais pas à me dépêtrer de mes mots croisés.

J'ouvris doucement le loquet, et je sortis dans le brouillard humide du pays de Galles.

Au loin, des branches nues se découpaient contre l'horizon gris, comme des fissures dans une couche de glace. D'énormes corneilles cherchaient leur pitance dans la neige, sautillant avec de lourds batte-ments d'ailes ; elles s'élevèrent en tourbillonnant à mon arrivée, se teintant de rose dans la lumière du matin.

Je repensais à ma conversation avec Glynn tandis que mes chaussures se couvraient de boue argileuse. La boîte en métal contenait donc des traces de morphine brute. Maintenant je comprenais pourquoi l'on avait truffé ma voiture d'explosifs. Quelqu'un avait cherché à détruire la pièce à conviction, bien plus que le conducteur. D'où provenait la morphine, combien y en avait-il eu, qui l'avait prise, et où l'avait-on emportée ? Mon enquête à Albufeira était en panne, tout autant que la solution de mes mots croisés. La définition du 25, verticalement, était : « objet rouge vif » ; j'écrivis : « rubis ».

Rouge vif, pensai-je. Peut-être aurais-je dû écrire Tomas. Il avait des cheveux roux flamboyants, qu'il avait teints. Pourquoi ? Était-ce un rouge politiquement parlant ? Harry Kondit prétendait qu'il s'était battu en Espagne. Harry Kondit savait-il la vérité, et s'il la savait, me la dirait-il ? Il était alarmant de voir combien peu de gens disaient la vérité. Combien d'Anglais ont combattu en Espagne ? me demandai-je. Le ministère de l'Intérieur avait un dossier sur ce sujet. Il fallait demander à Jane de l'éplucher.

41

Jane vint me chercher à Paddington. Elle conduisait toujours encore la vieille Riley de Dawlish.

— Mais comment t'y prends-tu avec Dawlish, pour qu'il consente à te prêter ce qu'il a de plus précieux sur terre ?

— Tu penses toujours à mal, dit-elle avec un sourire de petite fille.

— Je ne plaisante pas. Comment t'y prends-tu pour qu'il te fasse confiance ? Il envoie le concierge me surveiller quand je gare ma voiture près de la sienne. Jamais il ne me permettrait d'en prendre le volant.

— L'explication est simple, dit Jane. Je lui fais compliment de sa voiture. C'est quelque chose dont tu n'as jamais entendu parler, mais les compliments font fureur auprès des gens civilisés. Tu devrais essayer mon système, un jour.

— Mes compliments tendent à dépasser la mesure, lui dis-je. Et ça me retombe sur le nez.

— Pourquoi ne pas essayer la modération avant de condamner l'usage ?

— Tu as raison comme toujours, dis-je.

L'Amirauté est à côté de Whitehall Theater, où l'on joue les farces. L'agent reconnut la voiture de

217

Dawlish au bruit, et nous permit de nous garer parmi les voitures officielles, impeccablement astiquées et aussi pleines de reflets que des miroirs. Une vieille lanterne pendait sous le porche et les plaques de cuivre étaient polies jusqu'à être illisibles à force d'éclat. À l'intérieur du hall, une grille remplie de charbons incandescents rayonnait de la lumière électrique à travers ses tisons de plastique. Un portier galonné m'invita à passer devant un Nelson grandeur nature dans une niche rouge qui nous toisa, impassible, de ses yeux de pierre.

Le projecteur de cinéma et l'écran avaient été dressés dans une des pièces de l'étage supérieur. Un de nos agents de Charlotte Street enroulait les bobines et réglait le cadre et la lumière. Il y avait trois officiers supérieurs dans la pièce quand nous arrivâmes et nous nous serrâmes la main une fois que le marin de garde à la porte condescendit à nous laisser entrer.

Les premières minutes furent désopilantes. C'étaient des images de Victor, le jeune homme de la section suisse, en short long, qu'il ne cessait de remonter au fur et à mesure que son caleçon glissait. Une vieille Ford poussive se frayait un chemin en cahotant sur les pavés ronds de la petite ville portugaise. Elle s'arrêta. Un vieux monsieur en descendit. Sa silhouette mince monta un escalier et disparut sous le portail de l'église, engloutie.

Puis vint un nouveau plan du même homme, rapproché. Il passa devant la caméra, se tourna vers elle. Ses lunettes à monture d'or étincelèrent au soleil. Notre photographe lui avait probablement dit qu'il bloquait la vue, car da Cunha sortit un peu plus rapidement du champ. Nous vîmes quinze minutes de film où il ne cessait d'apparaître. C'était bien la silhouette maigre, impérieuse, qui m'avait donné un paquet enveloppé de papier marron un soir qui me paraissait déjà extraordinairement lointain. Sans préavis, l'écran devint blanc, tandis que la bobine épuisée tournoyait follement.

Les trois officiers se levèrent, mais Jane les pria de rester un moment de plus pour voir autre chose. Une image fixe fut projetée sur l'écran. C'était une vieille photographie froissée. Un groupe d'officiers de l'armée de terre et de la Marine avaient été photographiés, tête haute, bras croisés. Jane dit :

— Cette photographie a été prise à Portsmouth en 1938. Le commandant Andrews est le troisième à partir de la gauche, premier rang. À l'autre bout du rang se trouve un officier de la marine allemande, le lieutenant Knobel.

— Oui, dis-je.

Le projectionniste changea de photographie pour nous montrer un agrandissement du même instantané, un gros plan du visage du jeune Allemand. Il alla vers l'écran et dessina à l'encre des lunettes. La photographie, fanée par l'âge et surexposée, était très pâle. Il traça une nouvelle ligne de naissance des cheveux, un peu en retrait. Puis il accentua les cernes.

— Pas de doute, dis-je. C'était da Cunha jeune homme.

42

UN OFFICIER DE MARINE FAIT FACE À UNE GRAVE ACCUSATION : IL AURAIT PORTÉ LES ARMES CONTRE SES CAMARADES. SIX CHEFS D'ACCUSATION POUR TRAHISON

La coupure de presse que Jane avait photocopiée pour moi datait de 1945. Je la posai sur la table poussiéreuse de la bibliothèque de l'Amirauté. La date sur la coupure m'aida à retrouver le dossier que je cherchais. Il avait une couverture grise, avec un numéro de référence. Les pages étaient rassemblées avec trois pinces en forme d'étoile pour empêcher qu'elles ne s'égarent.

Lorsque je secouai l'enveloppe médicale, il en tomba des fiches, des papiers pelure, des rapports. Et puis, la preuve irréfutable que je cherchais :

Bernard Tomas Peterson
Cheveux roux. Teint clair et taches de rousseur.
Yeux bleu clair. Taille 5 pieds 9 pouces.
Poids 65 kg. Intelligent mais émotif.
Signes distinctifs : cicatrice sur le lobe de l'oreille droite.

C'était indiscutablement le sinistre Fernie Tomas. Jane, en consultant le dossier sur la guerre civile espagnole au ministère de l'Intérieur, avait trouvé un nom très proche de celui de Fernie Tomas : Bernie Tomas. Autrement dit, Bernard Tomas Peterson.

Ainsi, Fernie était un homme-grenouille, et un renégat de la Marine royale britannique. Je me souvins de la motocyclette à deux temps que j'avais entendue la nuit où j'avais suivi Giorgio, et du fait que Singleton avait attribué le chavirement du bateau à l'intervention d'un homme-grenouille. Je pensai à Giorgio me parlant des étoiles qui s'éteignaient.

Mes mains étaient noires de poussière. J'empruntai le savon et j'utilisai la petite serviette raide qui était réservée aux visiteurs de la bibliothèque de l'Amirauté.

— N'oubliez pas votre laissez-passer, me cria-t-on, ou vous ne sortirez pas du bâtiment.

43

S'éveiller au soleil d'Albufeira, c'est renaître. Je demeurai aussi longtemps que possible dans le no man's land du demi-sommeil, serrant les draps autour de moi, effrayé de pénétrer dans les feux croisés du monde diurne. Le son de la petite ville s'infiltrait goutte à goutte dans ma conscience. Le tintement et le cliquetis des harnais garnis de clochettes. Le bruit des sabots. Le roulement des roues de charrettes sautant sur les pavés ronds. Le grondement des camions qui grimpaient la colline en prise. Le clapotement de l'eau jaillissant des trop-pleins sur la plage, et le miaulement des chats qui se battaient. J'allumai une gauloise, et je sortis mes orteils de dessous les couvertures. De la plage venait la psalmodie rythmique d'hommes halant un filet de sardines, et les cris rauques des mouettes qui tournoyaient dans le vent, et plongeaient pour s'emparer des entrailles de poissons.

Je sortis sur le balcon. Les dalles de pierre étaient déjà tièdes sous mes pieds, et sur les chaises en bois gris, des chats, aussi paisibles que Bouddha, prenaient le soleil. Charly préparait du café et des toasts dans la cuisine, maintenant fermée d'une main sa robe de chambre en soie. Nous fîmes, je suis heureux de le dire, une grande partie du travail à deux. Elle se découpait contre la lumière de la fenêtre et je me rendis compte pour la première fois de ce que chaque homme à Albufeira savait depuis son arrivée ; qu'elle avait cinq pieds dix pouces, et que chaque pouce était doux et délicieux.

La mort de Joe et de Giorgio avait ralenti les opérations de plongée. Chaque jour, Singleton allait inspecter le sous-marin et continuait les recherches, mais j'étais depuis longtemps arrivé à la conclusion que ce que je cherchais se trouvait sur la terre ferme.

Après déjeuner, Singleton me dit qu'il fallait qu'il aille à Lisbonne recharger les bouteilles d'air comprimé. Il demanda combien de temps il pouvait s'absenter. Je regardai Charly, qui me regarda.

— Restez donc deux ou trois jours, dis-je.

Singleton parut content.

Je me promenai seul sur la plage, tâchant de mettre de l'ordre dans les faits que je connaissais. Lorsque j'y repense, je possédais suffisamment d'informations pour découvrir ce que je voulais savoir. Mais à ce moment-là, je ne savais pas encore ce que je cherchais. Je laissais mon intuition me guider à travers tout un labyrinthe de motifs.

Il me paraissait clair que Smith avait un lien quelconque avec la ville, légal ou illégal. Fernie était un homme-grenouille, et Giorgio avait été tué sous l'eau. La boîte en métal du sous-marin contenait de l'héroïne, et quelqu'un l'avait vidée récemment. (Sinon, qu'est-ce qui expliquerait le crayon à bille ?) Smith avait envoyé pour sept mille livres d'équipement à Kondit. À moins que ce ne fût à da Cunha, dont le nom véritable commençait également par un K.

Smith avait-il joué un rôle quelconque dans la mort de Giorgio ou de Joe ? Da Cunha voulait-il vraiment que je remette à Smith la matrice à souverains qu'il m'avait donnée ? Pourquoi avait-il inventé un marin mort, et fait creuser une tombe ? Tout me ramenait à Smith, et c'étaient ses motifs que je désirais éclaircir, même si j'y perdais du temps.

Je retrouvai Charly sur la grand-place.

Les vieilles maisons biscornues, de leurs fenêtres, regardaient le soleil couchant tout rouge. Deux ou trois cafés, c'est-à-dire des maisons possédant une salle accessible au public, avaient ouvert leurs portes en grand, et on entrevoyait des murs peints à l'eau, vert pâle, décorés de calendriers, et des chaises branlantes appuyées contre les murs. Le soir, les jeunes gens venaient y faire fonctionner l'électrophone automatique. Un petit homme en veste de daim versait dans des verres grands comme des dés à coudre le contenu de flacons sans étiquette dissimulés sous son comptoir. Derrière lui, les jus de fruits se couvraient de poussière et s'éventaient dans leurs bouteilles.

La nuit tomba, et les électrophones déversèrent des flots d'harmonie dans l'air tiède. Entre les bruits stridents des rocks, on entendait de temps à autre un fado. Mélodies de la jungle brésilienne transposées pour les bas quartiers de Lisbonne, elles convenaient étrangement à ce pays maure. Je bus du cognac, en grignotant de la seiche frite, caoutchouteuse et fruitée.

— Medronho, dit l'homme du comptoir, en désignant mon verre. Il voulait dire que c'était de l'alcool fait avec les baies de medronho qui pousse dans les montagnes.

— Bon ? demanda-t-il avec le seul mot d'anglais qu'il savait.

— Medonho, dis-je, et il rit.

224

Je venais de faire une plaisanterie en portugais. *Medonho* signifie « affreux ». Le cognac pénétra dans mon estomac en y provoquant une véritable angoisse. Dominant le bruit des voix, Charly remarquait :

— Vous parlez le portugais ?

— Un peu.

— Espèce d'hypocrite, dit Charly de sa voix de collégienne, vous avez compris tout ce que j'ai dit depuis mon arrivée.

— Non, répondis-je. Ma connaissance du portugais est très superficielle.

Mais elle refusa de se laisser apaiser.

Nous dînâmes au Jul-Bar. Il était rempli d'hommes pariant sur les résultats du Toto Bola, tandis que la télévision à grand écran vantait les mérites de l'Alka-Seltzer. On nous avait mis une nappe, de l'argenterie, du vin. Le repas était simple, le vin bon, et à 11 heures, je suggérai d'aller nous coucher, mais Charly voulut nager.

L'eau était fraîche, et la lumière de la lune ruisselait sur les vagues comme de la crème sur une robe de velours noir. La nuit et l'eau me remirent en mémoire la mort de Giorgio. Les cheveux blonds de Charly brillaient à la lumière et son corps était phosphorescent sous l'eau claire. Elle nageait à côté de moi, et prétendit avoir une crampe.

Je la saisis, comme elle le voulait. Sa peau était tiède, sa bouche salée, et l'eau-de-vie m'avait troublé le jugement.

Que le chemin d'une chambre à coucher est court ! Et qu'il est difficile d'enlever un maillot de bain mouillé ! Elle était une maîtresse pleine d'égards et d'inventions, et plus tard, nous parlâmes avec la sincérité tendre et bienveillante qui n'existe qu'au début d'un amour.

Sa voix était basse et douce. Elle avait dépouillé le persiflage avec ses vêtements.

— Les femmes veulent toujours que leurs affaires sentimentales se poursuivent éternellement, dit Charly. Pourquoi n'ont-elles pas l'intelligence de profiter de la vie au jour le jour ?

— L'amour n'est qu'un état d'esprit, répondis-je, utilisant une des expressions favorites de Dawlish, en souriant dans l'obscurité.

Il y eut une note d'inquiétude dans la voix de Charly :

— Il faut que ce soit plus que cela.

Je lui tendis ma cigarette.

— C'est l'effort d'un mortel pour définir l'infini, dis-je.

Elle inhala, et la lueur rouge illumina son visage pendant un instant.

— Quelquefois deux personnes ne font que s'entrevoir un instant, dit-elle, peut-être d'un train, et il se forme un lien entre elles. Ce n'est pas sexuel, ce n'est pas de l'amour, c'est une sorte de quatrième dimension magique de la vie. Vous n'avez jamais vu cette personne avant, vous ne la reverrez pas après, vous n'avez même pas envie d'essayer parce que c'est sans importance. Tout ce qu'il y a de sage, je veux dire de compréhensif et de profond, dans ces deux êtres se réalise en un seul instant.

— Mon paternel m'a donné deux conseils, ripostai-je. Ne jamais monter un cheval dur de bouche, et ne jamais aller au lit avec une femme qui tient un journal. À vous entendre, on croirait que vous faites partie de cette catégorie. Il serait temps que je prenne la fuite.

Mais je ne bougeai pas.

— Il y a quelque chose que j'aimerais savoir, dit Charly.

Une heure sonna au clocher, et j'entendis des chats traverser le balcon en courant.

— Pourquoi vous intéressez-vous tellement au sous-marin ? demanda Charly.

Je suppose que je dus me réveiller en sursaut, car elle ajouta aussitôt :

— Ne me répondez pas si c'est un secret que je ne suis pas autorisée à savoir.

Je ne répondis pas.

— Qu'est-ce que vous cherchez à savoir ? poursuivit-elle. Pourquoi restez-vous ici alors que deux hommes sont morts ? Vous savez aussi bien que moi qu'il n'y a rien dans ce sous-marin. Qui est-ce qui vous intéresse tellement ? J'aimerais croire que c'est moi, mais je sais que ce n'est pas le cas.

— On dirait que vous avez une théorie, remarquai-je. Peut-on la connaître ?

— Je pense que vous enquêtez pour votre propre compte, dit-elle.

Elle attendit un moment, mais je ne fis pas de commentaire.

— Est-ce que je me trompe ? demanda-t-elle.

Je dis :

— Il y a une loi que les gens de mon service considèrent comme générale : la vérité varie en proportion inverse de l'influence de la personne en question. J'ai l'intention de créer une exception.

— Faut-il que vous le fassiez seul ?

— Tout le monde est seul, ripostai-je. On naît seul, on vit seul, on meurt seul. On est toujours seul. Quand on fait l'amour, on prétend qu'on n'est pas seul, mais on l'est tout de même. Et les gens de mon métier sont encore plus seuls que les autres, en tête à tête avec toutes les vérités qu'ils aimeraient raconter et doivent taire. On tâtonne dans le noir avec des centaines de gens qui vous crient des conseils différents sur la direction à suivre. Donc on continue à tâtonner, en grattant des allumettes, en saisissant des ombres, et en tombant occasionnellement dans la boue. Vous êtes seule et moi aussi. Essayez de vous y habituer, ou vous finirez par raconter aux gens que votre mari ne vous comprend pas.

— Je suis encore célibataire, dit Charly, et beaucoup d'hommes seront malheureux le jour où je me marierai.

— Pourquoi ? dis-je. Combien avez-vous l'intention d'en épouser ?

Elle me donna un coup de coude dans les côtes pour se venger, et se mit à parler de Harry Kondit pour me rendre jaloux.

— Harry a une usine de conserves, dit-elle.

Elle alluma deux cigarettes et m'en passa une.

— Il en est très fier. Il l'a pour ainsi dire construite de ses propres mains, à l'entendre.

Je grognai. Nous fumâmes en silence, et la mer dehors, qui était responsable de tout cela, se brisait sur la plage avec une rage coupable.

— Et qu'est-ce que Harry met en conserves dans sa fabrique ?

— Du thon quand c'est la saison, des sardines, des maquereaux. Tout ce qui est avantageux à l'achat.

Toutes les usines de conserves agissent de la même façon. Harry fait aussi des pickles, je crois.

— Ah oui? dis-je.

— Sûrement, dit Charly. Lorsque nous sommes passés devant son laboratoire, ce soir, l'odeur du vinaigre était si forte que cela m'a presque suffoquée.

Il faut se débarrasser d'une énorme quantité d'acide acétique... construction d'une usine chimique...

Je pensai à tout cela pendant une minute, puis je dis :

— Habillez-vous, Charly. Allons inspecter le laboratoire de Kondit tout de suite.

Elle n'était pas très enthousiaste, mais nous y allâmes.

44

Nous laissâmes la vieille Citroën au bas de la route, en faisant le reste du chemin à pied. Nos pieds s'enfonçaient dans le sable rougeâtre tandis que nous faisions par-derrière le tour du bâtiment bas. Une lumière brillait à l'autre bout, et l'on entendait le bruit sonore de l'eau s'engouffrant dans l'égout. Au-dessus de nous des hortensias fleurissaient contre le mur, et de la fenêtre éclairée s'échappait la mélodie déchirante d'un fado. Je regardai prudemment par-dessus le rebord. Je vis une pièce sale, avec de longues rangées de machines qui se perdaient en un alignement irrégulier dans la pénombre. Un courant d'air chaud venait des ventilateurs. C'était un luxe plutôt étrange dans cette nuit subtropicale. Plus près de moi, une pompe électrique à faire le vide vibrait d'un rythme régulier. Harry Kondit traversa la pièce, son tricot de corps blanc tout taché de jaune. L'odeur de vinaigre suffoquait. Je sentis la main de Charly s'appuyer sur mon dos tandis qu'elle regardait par-dessus mon épaule, et je l'entendis déglutir pour éviter de tousser, la gorge irritée par l'âcreté de la vapeur. Kondit alla vers un petit pulvérisateur électrique, qu'il alluma. Le bruit du moteur recouvrit presque la musique du gramophone. Kondit augmenta le volume du son et le fado ajouta au vacarme.

Ce n'était pas un laboratoire destiné à des expériences pour faire fondre la glace, et il n'avait pas coûté sept mille livres. C'était une petite usine de raffinage de la morphine : pulvérisateur, pompe à faire le vide, appareil de séchage, tout ce qu'il fallait pour transformer la morphine en héroïne avant de la mettre en boîte pour l'exportation. Harry Kondit, me dis-je, un *conduit* par lequel circulait une marchandise dangereuse. Je me penchai à l'intérieur de la fenêtre ouverte, je levai mon pistolet, et je visai avec soin. Le Smith & Wesson eut un recul tandis que l'explosion se répercutait contre les murs. Le disque vola en mille éclats, aussi coupants que des couteaux.

— Éteignez la pompe et le pulvérisateur, Harry, dis-je, ou je m'en charge.

Pendant un instant, Harry nous regarda fixement, puis il obéit, et le silence descendit sur nous comme un éteignoir sur une bougie.

— Allez lentement vers cette porte, et ouvrez-la !

— Mais je…

— Et pas un mot ! ajoutai-je. Je n'ai pas oublié que vous avez tué Joe avec de la dynamite.

Harry se tourna vers moi pour s'expliquer, puis se ravisa. Me tournant le dos, il se dirigea vers la porte pour pousser le verrou. Je donnai le revolver à Charly, et elle fit le tour du bâtiment jusqu'à l'extérieur de la porte. Tandis que je disais :

— Restez où vous êtes, Harry, et je n'abîmerai pas cet équipement coûteux…

Harry prenait son mal en patience, attendant le moment où je serais obligé de quitter la fenêtre pour entrer. Lorsque Charly pointa le 38 contre son ventre, il se rendit compte qu'il avait été joué. Elle le fit

reculer d'une façon très professionnelle. Je la rejoignis, refermai la porte, et repoussai le verrou.

Nous nous regardâmes en silence jusqu'à ce que
Harry dise :

— Bienvenue dans l'usine à rêves, mes amis.

Nous demeurâmes silencieux.

— Ainsi, vous êtes tout de même un flic, remarqua
Kondit.

— Vous voulez dire que vous n'en étiez pas sûr
quand vous avez fait sauter ma voiture et tué Giorgio
dans le sous-marin ?

— Vous n'avez rien compris, mon vieux, dit
Kondit.

Il était plus bronzé que jamais. La marque de son
bracelet-montre se détachait sur sa peau avec une
blancheur de bracelet. Son front bas était ridé tout
autant qu'une planche à laver, et il se mouilla les
lèvres avec sa grosse langue rose :

— Pas la peine d'essayer de vous expliquer quoi
que ce soit. Je croyais que vous étiez un gars bien.
Tant pis. C'est quand les choses vont mal qu'on
reconnaît ses amis.

— Les choses vont aller très mal, pour vous,
Harry, dis-je.

Il me dévisagea avec un sourire triste :

— Pas la peine de prendre ce ton solennel. J'ai
compris.

Il était d'un calme imperturbable.

— Par quelle suite de circonstances vous êtes-
vous laissé prendre dans cet engrenage ? demandai-je
doucement.

— Puis-je m'asseoir ?

J'acquiesçai, mais je repris mon revolver à Charly,
le gardant à portée de la main.

— Nous avons tous des problèmes, vieux, dit Kondit en s'asseyant lourdement. Et des problèmes qui varient selon la perspective. Ce sont les plus immédiats qui paraissent les plus importants.

Je lui jetai une cigarette et des allumettes. Il prit son temps pour l'allumer.

— Vous n'avez pas à vous inquiéter de m'en dire plus que je n'en sais déjà, Harry, observai-je. Vous seriez étonné par tout ce que je sais.

— Par exemple ?

— Je sais que j'ai été mené en bateau par la plus extraordinaire collection d'escrocs que puisse concevoir l'imagination. Je recherche la trace d'un Anglais roux qui s'est battu pendant la guerre civile d'Espagne (nous avons des dossiers sur tous ces gens-là) et je découvre qu'il est devenu un homme brun qui évite de se mettre au soleil par peur d'attraper des taches de rousseur.

Je fis une pause, puis je repris :

— Ce Fernie Tomas, si mes suppositions sont exactes, était en bonne position pour savoir à quoi s'en tenir sur les sous-marins coulés pendant la guerre : par exemple, qu'il y en avait un qui était plein d'héroïne.

— Oui, plein d'héroïne, vous avez raison. De la neige, comme on dit.

Kondit hocha la tête et se mit soudain à parler très vite.

— Cette boîte verte était bourrée de vieille héroïne dont certains nazis étaient friands. Fernie Tomas me l'a apportée, en me demandant si je connaissais quelqu'un capable de la traiter. Nous n'étions chauds ni l'un ni l'autre pour ce genre de travail, mais cette boîte valait une fortune. Je n'étais pas assez riche pour laisser passer l'occasion. Mon vieux copain Harry Williams Cohen avait des ennuis avec le fisc et, à voir la tournure que prenaient les choses, il allait se faire mettre en taule pour un bout de temps. Cette héroïne permettait de payer ses impôts, et les pénalités. C'est alors que Fernie et moi avons décidé d'investir notre argent dans cette usine qui s'apprêtait à fermer.

— L'enfant de Brooklyn sauve une usine portugaise de conserves, dis-je, avec le savoir-faire américain, et quelques kilos de diacétylmorphine.

— Soyez raisonnable, implora Kondit. Rentrez en Angleterre et regardez ce que le Père Noël a versé à votre compte en banque.

— Merci, Harry, ça ne servirait à rien. Chez moi, l'argenterie est comptée.

Kondit tira sur la cigarette que je lui avais donnée et l'agita en un geste de protestation. Son premier accès de volubilité était passé, et maintenant, il parlait lentement, en pesant ses mots.

— Réfléchissez. D'ici cinq ans, le gouvernement légalisera l'importation de la drogue. Je le sais. À ce moment-là, les gros s'empareront de l'affaire. On fera des empaquetages de luxe, et il y aura de la publicité en couleur dans *Life* avec deux cover-girls affriolantes disant : je ne savais pas que fumer pouvait être amusant avant d'avoir goûté la marijuana.

— Nous n'y sommes pas encore, Harry, et les gens qui violent la loi pour gagner de l'argent sont souvent des incompris.

— Vous avez réponse à tout, hein ? dit Harry. Bon. Je l'ai fait pour de l'argent, et je l'ai dépensé aussi vite que je l'ai gagné. Vous savez comment c'est, l'argent.

— Non, dis-je. Comment est-ce ?

— Aussi plein de surprises que l'uranium, mais dix fois plus dangereux. Il fuit aussi vite que la jeunesse, et se multiplie comme les ennemis.

— Vous en avez pas mal.

— Oui, il m'aura fallu beaucoup de temps et d'ingéniosité pour m'en faire.

— Et Fernie Tomas en fait partie ?

Harry sourit :

— Je le connais trop bien pour croire qu'il puisse être un ami.

J'attendis pendant qu'il jouait avec sa cigarette. Je savais qu'il avait quelque chose à dire à propos de Tomas.

— Vous pensez que Fernie est un cas exceptionnel, méritant une étude psychologique. Un jeune héros de la Marine passe à l'ennemi, etc. Ça vous dépasse, vous autres policiers. Une véritable énigme, hein ?

Il me jeta son propre paquet de cigarettes pour que je l'attrape. Mais on n'apprend pas à un vieux singe à faire des grimaces. Je gardai le 38 fermement pointé en direction du torse de Kondit. Le paquet de cigarettes rebondit contre le revolver, et son contenu se répandit par terre. Harry Kondit se pencha vers mes pieds pour les ramasser, mais voyant le canon du revolver se déplacer légèrement, il se ravisa, et se laissa retomber sur sa chaise. Nous nous regardâmes. Je secouai la tête. Kondit sourit.

— Pas de risques, pas d'imprudences, pas d'erreurs.

— Dites-moi plutôt comment un policier peut cesser d'être intrigué par Tomas, dis-je.

— C'est un mécontent, expliqua Kondit. Quoi que ce soit, je suis contre. C'est le slogan de Fernie. La seule raison pour laquelle nous ne nous sommes pas battus jusqu'à ce que l'un de nous reste sur le carreau une fois par semaine, c'est mon bon caractère. Il planque un vieux dollar dans la boîte verte juste pour pouvoir, si quelqu'un lui déplaît, en glisser un autre à l'endroit où il fera le plus de mal. C'est un cinglé.

Je hochai la tête. J'avais toujours pensé que le billet de vingt dollars retrouvé dans la chemise de Kondit était trop évident pour y avoir été oublié par inadvertance.

— Tout le monde est contre vous, Harry, et vous êtes une si bonne pâte, dis-je en souriant.

Je pensais à Joe, mais je souriais quand même.

— Les gros ont toujours le cœur tendre, riposta Harry avec une grimace.

Il désigna une cigarette près de son pied. Je l'autorisai à la ramasser. Il l'alluma à son mégot :

— L'homme n'est ni un martyr, ni un idéaliste, ni un intellectuel. Il pense avec ses muscles. Des gars de son genre se préparent une mort prématurée en organisant des grèves avec bagarre, ou en troublant une réunion politique. En temps de guerre, ils se font décorer ou passent en cour martiale. Quelquefois l'un et l'autre. Fernie dit qu'il avait été recommandé pour le DSA au moment de son arrestation.

— DSO, rectifiai-je.

— C'est ce que je voulais dire. Vous voyez le tableau : pas de femmes, pas d'alcool, pas de politique, un mécontent de naissance, et le meilleur homme-grenouille en Europe.

— Aujourd'hui, peut-être, dis-je. Mais avant cet incident fatal qui s'est produit il n'y a pas longtemps au fond de l'eau, il n'était que le numéro 2.

Le visage de Harry se contracta comme un poing serré :

— Fernie ne ferait pas ça. Je n'aime pas le gars, mais ce n'est pas un type à tuer de sang-froid.

— Soit, oublions ça pour le moment. Dites-moi plutôt ce que da Cunha vient faire dans tout ça. Et avant que vous ne commenciez : je ne suis pas un policier. Mes instructions ne vous concernent pas. Je suis ici pour obtenir des informations. Dites-moi ce que je veux savoir, et puis, vous pourrez disparaître, en ce qui me concerne.

Charly se leva d'un bond.

— Disparaître ? protesta-t-elle. Vous ne vous rendez pas compte du sale trafic auquel cet homme s'est livré ?

Elle se précipita sur l'équipement de laboratoire comme l'incarnation de la colère divine, et en envoya une partie par terre, où il vola en miettes.

Je ne dis rien.

— Il se rend compte, mon petit cœur, dit Kondit, mais il est trop malin pour le laisser voir avant d'avoir obtenu toutes les informations qu'il veut.

Charly le regarda, pétrifiée. Puis elle se tourna vers moi :

— Je suis désolée, dit-elle, et elle se rassit.

— Je ne plaisante pas, Harry, dis-je. Je ne vous permettrai pas de rester en Europe, mais je vous laisserai filer.

— Soit, dit Harry. Qu'est-ce que vous voulez savoir ?

— Qui est da Cunha ?

— Vous allez droit au but, vous. Da Cunha : les gens d'ici en pensent le plus grand bien. Il prétend qu'il est le représentant du VNV pour la région, et qu'il sera gouverneur lorsque la révolution éclatera.

— Mais vous ne le croyez pas ?

— Un salaud de fasciste en vaut un autre à mon avis.

— Ce qui signifie ?

— Que je lui verse trois cents dollars par mois via ma banque de New York, en échange de la promesse que le nouveau gouvernement ne viendra pas fourrer son nez dans mes affaires.

— Une sorte de police d'assurance, en somme ?

— C'est ça. Je peux me permettre de lui donner un peu d'argent à tout hasard. Ça ne m'a pas servi à grand-chose, hein ?

— Ne soyez pas amer, Harry.

Il passa sa grosse main velue sur ses sourcils et, lorsque son nez et ses yeux émergèrent de nouveau, il sourit sans gaieté.

— Et Fernie, dis-je, comment s'entend-il avec da Cunha ?

— Bien, rien de particulier, juste bien.

— Vous n'avez jamais surpris, en pénétrant dans une pièce, un bout de conversation que vous n'étiez pas censé entendre ? Une discussion scientifique, par exemple ?

— Souvent. Mais jamais rien de particulier.

— Soit, puisque vous voulez faire le malin, à malin, malin et demi. Vous vous croyez très fort, parce que vous ne m'intéressez pas directement. Mais rien ne m'empêche de vous faire passer un sale quart d'heure avant de vous livrer à la police.

— Par exemple ? demanda Kondit avec défi, mais d'une voix un peu rauque.

— Qu'est-ce qui m'empêche, cher Harry, si nous ne pouvons pas avoir un entretien courtois, de faire chauffer une bonne cuiller à soupe d'eau chaude et de vous administrer une solution à dix pour cent de la drogue que vous avez pulvérisée…

— Essayez un peu !

— Vous me confondez avec les cabots asthmatiques qui jouent les policiers à la télévision britannique, Harry. Je ne plaisante pas.

Il y eut un moment de silence tendu.

— Je ne suis pas un habitué de la drogue, dit Kondit. (Il avait blêmi sous son hâle.) Dix pour cent me tueraient.

Il serra ses bras croisés contre son torse.

— Vous enflerez peut-être un peu, mais vous survivrez. Et vous absorberez une seconde dose, et une autre encore, jusqu'à ce que je vous remette à la police. Ça vous permettra de prendre un peu de repos jusqu'à ce que je vous réclame de nouveau au bout d'une semaine. Vous parlerez, Harry, croyez-moi.

La tête de Harry retomba sur sa poitrine, et il se balança sur son siège, comme s'il essayait de se réveiller d'un cauchemar.

Quand il reprit la parole, ce fut d'un ton impersonnel, comme un speaker lisant un bulletin météorologique auquel il ne croit pas.

— Fernie a travaillé pour da Cunha. Fernie a un grand respect pour lui. Même une fois que nous avons eu suffisamment d'argent pour ne plus nous inquiéter, Fernie a continué à lui donner du « Monsieur » gros comme le bras. Fernie dans le temps avait des relations dans le monde entier et, si invraisemblable que ce soit, on l'aimait bien. Il suffisait qu'il exprime un désir, et quelqu'un, aussitôt, le réalisait. C'est Fernie qui s'est débrouillé pour les fournitures. Moi, je raffinais et je m'occupais de la vente.

— Comment obteniez-vous la morphine ?

— Par bateau, une fois par mois. Les bateaux ne s'arrêtaient pas. Seul un homme-grenouille émérite pouvait réaliser cet exploit. Nous allions au large en bateau, et puis Fernie utilisait son équipement d'homme-grenouille, et un traîneau à moteur, pour aller sous la coque du bateau prendre le bidon qui était fixé à la quille latérale par des attaches magnétiques. Nous raffinions le produit ici, et nous le mettions dans des boîtes à sardines. Fernie allait fixer toute la livraison à un bateau se dirigeant vers les États-Unis. Je prévenais mes correspondants à New York. Ils laissaient le bateau passer par la douane, puis un homme-grenouille plongeait, pendant qu'il était à quai, et récupérait la marchandise. Vous êtes content ?

— Oui, continuez comme ça. Fernie a-t-il jamais utilisé votre bateau ?

— Bien sûr, il est meilleur marin que je ne le serai jamais. Il s'en sert chaque fois qu'il en a envie. C'est quand da Cunha l'emprunte que je me mets en boule. Je ne le confierais jamais au vieux gars tout seul, même s'il a été amiral dans la marine boche.

— Et ils ont toujours usé la même quantité de combustible ?

— Toujours, dit Kondit. J'ai vérifié par curiosité. Ils font douze milles environ, un peu plus, un peu moins.

— Qu'est-ce que vous savez encore sur da Cunha ?

— Da Cunha se promène dans la ville avec sa vieille Ford de 1935 comme s'il s'agissait d'une Thunderbird. Il croit que tout lui appartient. Il suffit qu'il ferme les yeux pour qu'il fasse nuit. Quand il envoie Tomas emprunter mon bateau, on dirait que c'est une faveur qu'il me fait. C'est un gars qui ne se laisse démonter par rien. Un jour j'arrive ici, et je le trouve en train d'emporter une pleine caisse de mes boîtes à sardines : « Je vous prends en flagrant délit », que je lui dis, en souriant comme si c'était une plaisanterie. « Mieux vaut rougir que d'avoir l'âme noire », me répond-il calmement, en m'expliquant que c'est un vieux dicton portugais. « Qui s'intéresse aux vieux dictons portugais ? » que je lui réponds. « Moi, riposte-t-il, mais je suis le seul. » Et il part en emportant la marchandise. Il est au mieux avec les religieux locaux et, la semaine dernière, il a reçu la visite d'un tas de richards de Madrid. Quels que soient ses projets à l'égard du Portugal, ce n'est certainement pas d'augmenter les salaires.

Harry Kondit releva la tête :

— C'est sérieux, vous me laissez filer, hein ? Parce que si je vous raconte tout ça pour rien...

— Rassurez-vous, dis-je. En ce qui me concerne, vous pouvez acheter votre liberté en parlant.

— Et je peux prendre mon bateau et le reste ? demanda Kondit.

— Tout ce que vous voudrez.

— Je parie que le VNV de da Cunha est une section locale du mouvement Jeune Europe. Vous savez ce dont je parle ?

— Dites toujours.

— C'est un réseau fasciste international, qui s'étend de Rabat à Narvik. L'OAS en France, le

241

MAC en Belgique. Ces gars-là trouvent que le régime actuel du Portugal est socialiste.

— Quelle preuve avez-vous ?

— Aucune. Je voudrais bien en avoir. Ça a toujours été mon rêve de régler son compte à ce type.

— On dirait que c'est trop tard en ce qui vous concerne.

— Les fascistes seront vaincus. Ça fait partie de la lutte des classes.

— La lutte des classes, dis-je, c'est drôle de votre part. Qui représentez-vous : les toxicomanes et l'Association internationale des trafiquants de drogue ?

— C'est ça, le clan des cinglés, et moi je suis le plus cinglé de tous.

Harry me regardait droit dans les yeux. Je décidai d'essayer de bluffer.

— Et le visiteur d'Angleterre ? dis-je doucement. N'oubliez pas le visiteur d'Angleterre.

— Un copain de Fernie, répondit Kondit. Un brave type, qui sait apprécier la rigolade.

— Comment s'appelle-t-il ?

— Ivor Butcher, dit Kondit. Un gars plein d'humour.

— Pour être drôle, il est drôle, dis-je.

Les choses commençaient à s'ordonner. Ivor Butcher connaissait Fernie. Un messager ? Smith disait-il à Fernie ce qu'il devait faire, ou était-ce Fernie qui lui donnait des ordres ? Dans l'une ou l'autre éventualité, pourquoi ?

Je regardai autour de moi les grandes machines huileuses se fondant dans la pénombre, et les piles de boîtes de conserve.

— Harry, dis-je, je veux parler à Fernie Tomas ici. Amenez-le-moi, et vous pourrez partir.

Harry rentra les joues et eut un rire sec :

— Vous pouvez arranger ça tout seul aussi bien que moi. Pas la peine de me rendre plus salaud que je ne le suis.

Il alla à l'évier et se lava les mains avec l'étrange savon portugais qui ressemble à du roquefort. Puis il les sécha, remit son bracelet-montre, et nous fit face :

— Vous avez déjà joué votre grande scène du deux, mon vieux. Moi, j'en ai assez, et je vais m'en aller, qu'il y ait de la casse ou pas.

— C'est ce que vous croyez, dis-je.

Mais je ne fis pas un geste lorsqu'il se dirigea vers la chaise et ramassa son cardigan en cachemire. Je demeurai tout aussi immobile lorsqu'il passa entre les deux rangées de machines, se dirigeant vers la porte. Il se retourna. Je mis mon revolver dans la poche de ma veste, et il eut l'air rassuré. Ce fut alors qu'un éclair traversa l'atmosphère tendue, tandis que la détonation se répercutait tout au long des piles de boîtes vides, comme un piranha lâché dans un bocal de poissons rouges. Charly avait pris un revolver dans son sac et tiré sur Kondit. Je le vis se retourner, et s'affaisser contre le pressoir. J'étendis la main pour m'emparer du revolver. Elle tira de nouveau et la chaleur roussit les poils sur le dos de ma main. La balle claqua contre une machine et ricocha avec un gémissement, se perdant dans l'obscurité. Ma main se referma sur le canon, pour tenter d'arracher l'arme à Charly. Mais le métal était si chaud que je le lâchai. Le revolver tomba avec fracas. Je saisis Charly à bras-le-corps, et je la retins prisonnière.

De derrière la machine où il s'était abrité, Kondit demanda :

— Où diable cette toquée a-t-elle été prendre un revolver ?

Je regardai l'arme, un vieil automatique italien, Victoria 7,65.

— Dans un arbre de Noël, selon toute apparence, dis-je. Décampez, avant que je ne change d'avis.

Charly martela ma vareuse de ses poings en hurlant :

— Ne le laissez pas partir, il a tué votre ami !

Puis elle dut s'arrêter pour reprendre son souffle.

— Vous n'êtes pas humain, dit-elle, calmée.

Je la tins serrée pendant que Kondit s'éloignait en boitillant, une main toute rouge soutenant son avant-bras. Puis j'aidai Charly à s'asseoir. Elle se moucha avec mon mouchoir et me dit qu'elle travaillait pour le *Federal Bureau of Narcotics*, et que j'avais tout gâché. C'était sur son orgueil professionnel qu'elle pleurait dans l'usine à rêves de Harry Kondit.

— Alors, vous saviez que l'odeur de vinaigre provenait de l'acide acétique, et du raffinage de la morphine. Pourquoi ne pas l'avoir dit franchement ?

Elle se moucha de nouveau :

— Parce qu'un bon agent laisse dans toute la mesure du possible les autres représentants de la loi prendre l'initiative de la répression, récita-t-elle, entre deux reniflements.

À ce moment-là, nous entendîmes Harry mettre le moteur en route :

— Il prend notre voiture, dit Charly avec un rire étouffé. Il va falloir rentrer à pied.

Il y avait un peu plus de trois kilomètres jusqu'à Albufeira. Nous contournâmes une énorme plantation de figuiers, et nous respirâmes l'odeur des olives prêtes à être récoltées. Charly enleva ses chaussures au bout d'un kilomètre, et arrêta de renifler au bout du deuxième. Pour la quinzième fois, elle déclara :

— Vous l'avez laissé partir. Il faut que je téléphone à la police.

— Écoutez, dis-je enfin, je ne sais pas ce qu'on vous apprend au *Treasury Department*[1], mais si vous pensez que votre prestige sera accru parce que vous aurez passé les menottes à Harry Kondit, vous vous trompez du tout au tout. Laissez-le jeter la panique parmi ses amis. Même s'il va jusqu'au bout du monde, vous pouvez l'y rattraper en une journée, ou décrocher le téléphone et le faire arrêter dans l'heure suivante. C'est une lutte purement cérébrale que nous menons. Ce n'est pas parce que j'agite un vieux revolver datant du temps de la guerre devant vous pour vous impressionner qu'il faut vous emballer. Vous auriez pu le blesser gravement.

Cette remarque mit Charlotte en fureur, et elle dit que je ne valais pas mieux que Harry Kondit. En ce qui concerne ce dernier, si je n'étais pas intervenu, elle n'aurait pas hésité à le tuer, et c'eût été bon débarras.

On ne peut s'empêcher d'envier ces fanatiques de la lutte contre la drogue. Les gouvernements du monde sont si désireux de se justifier de tout soupçon de complaisance que, loin de poser des questions embarrassantes aux propriétaires d'armes à feu, ils leur tiennent le bras pour qu'ils visent mieux. Moi, je ne pouvais pas me permettre ce genre de luxe, même en me souvenant que Kondit, en voulant supprimer une pièce à conviction, avait tué Joe.

---

1. Dont dépendent le *Federal Bureau of Narcotics* et les services secrets américains.

Ma situation était difficile. Je ne pouvais pas laisser Charlotte téléphoner à la police et attirer l'attention sur nous. Du moins pas avant d'être entré en contact avec Singleton, d'avoir replié notre équipement, et pris le large. Je me rendis compte d'un silence soudain, et je compris que Charly m'avait posé une question.

— Hum, fis-je, comme si je réfléchissais.

— N'est-ce pas déroutant ? disait Charly.

— Déroutant, répétai-je. Mais bien sûr que c'est déroutant. Vous vous engagez dans l'espionnage industriel, puis vous vous plaignez d'être déroutée.

— Que voulez-vous dire ? demanda Charly. Je n'ai pas fait d'espionnage industriel.

— Non ? Mais les narcotiques sont une industrie qui rapportent des millions. La moitié de cette industrie est consacrée à faire de l'argent, l'autre moitié, à vous troubler le jugement. D'une façon ou d'une autre, ajoutai-je après un moment de silence.

— Et que voulez-vous dire par ce trait d'esprit ?

— Je veux dire qu'on peut déjouer l'autorité de multiples façons, par la corruption, les codes, les camouflages, les faux informateurs, ou même par des pressions si puissantes qu'on change la loi pour répondre au désir du contrevenant. Mais le plus déroutant de tout, c'est le bon vieux mensonge par un bon vieux menteur du genre de Harry Kondit.

— Pourquoi ? Ce qu'il a dit était faux ?

Elle s'arrêta au milieu de la route pour remettre ses chaussures.

— Oui, dis-je. Mais comme dans tous les mensonges habiles, il y avait un fondement de vérité, tout comme il y a douze pour cent de beurre dans la margarine.

— Mais qu'est-ce qui était faux ?

— Bah ! si vous laissiez les gars du *Treasury Department* se creuser les méninges à votre place ? Je me contenterai de vous dire qu'il nous a expliqué exactement de quelle façon nous devions continuer notre enquête, sans rien laisser dans l'ombre. À condition bien entendu que nous soyons disposés à faire ce qui sert le mieux les intérêts de Harry Kondit.

— Oui, je comprends, dit Charly en me serrant le bras.

Je regrette de n'avoir pas écouté plus attentivement ma propre remarque.

45

C'était diablement gentil à Harry de nous avoir
laissé la voiture devant le 12 de la Praca Miguel
Bombarda. Charly dit que, selon toute apparence,
nous avions récolté une contravention. C'était sa
façon à elle de plaisanter : l'enveloppe blanche
coincée sous l'essuie-glace venait de Kondit.

*Désolé d'avoir fauché votre carrosse, mais quand
il faut, il faut. Je ne pensais pas que vous me lais-
seriez partir, comme vous l'aviez promis. Comme
je l'ai dit, c'est lorsque les choses vont mal qu'on
reconnaît ses amis.*

M. Content (manifestement une façon prudente
de désigner Fernie) *se promène comme un chat
échaudé. Ce que vous avez dit que je pouvais
prendre, je ne le prendrai pas, mais vous pouvez
parier la petite culotte de Charly que M. Content
va s'en emparer.* (Ceci ne pouvait signifier que la
vedette à moteur.)

*Ce que je ne vous avais pas dit, c'est que
M. Content a la plus jolie liste de chantage de tous
les temps, et je n'exagère pas. Si les mots* Weisse
Liste *signifient quelque chose pour vous, vous me
comprendrez.*

Surveillez ce que je n'ai pas pris, et vous pourrez refermer votre dossier, ET COMMENT !

Vôtre à tout jamais
Harry.

Singleton ne devait pas revenir avant vingt-quatre heures. Quoi que j'entreprisse, il fallait le faire seul. J'allai dans l'ancienne chambre de Joe, et je soulevai les planches avec un couteau de cuisine.

— Qu'est-ce que vous faites ? demanda Charly.

Je lui dis de déguerpir et d'aller faire du thé très fort. Je commençais à être terriblement fatigué.

De dessous le plancher, je sortis le petit poste émetteur dont Joe se servait pour communiquer avec Londres. Je le préparai pour la transmission, je levai l'antenne, et je réglai les numéros du chiffre sur le Kurier. Je tournai la manivelle à vingt-trois minutes après l'heure (comme le voulait notre accord avec Gibraltar) puis je rangeai l'appareil.

Charly apporta le thé. Je lui dis que j'avais envoyé un message à Londres, et qu'elle était libre, désormais, de prendre toute initiative qui lui plairait en ce qui concernait les narcotiques. Je la mis en garde contre le fait que toute allusion à l'opération que nous avions entreprise à Albufeira tombait sous le coup de l'*Official Secrets Act*, et la rendait passible de poursuites, et que toute indiscrétion de sa part l'exposait à un second procès, car en tant qu'employée du *Federal Bureau of Narcotics*, elle serait considérée comme l'agent d'une puissance étrangère. Je la remerciai pour le thé, et je lui donnai un baiser qui n'avait rien de fraternel.

— Il faut que vous me conduisiez jusqu'au bateau de Harry Kondit, dis-je.

Charly rangea le canot le long de la coque avec une habileté qui faisait honneur à son amiral de père. Je grimpai sur le pont en bois de teck en chaussettes : je ne voulais pas laisser d'empreintes mouillées. Charlotte fit faire volte-face au canot, et retourna vers la crique. Je surveillai le sommet de la falaise, souhaitant de toute mon âme que Fernie n'apparût pas avant qu'elle eût doublé le promontoire. Puis je traversai le pont, et je me dissimulai dans un des grands coffres qui se trouvaient sous les couchettes supplémentaires. Cela ressemblait un peu à un cercueil, mais je glissai un crayon sous le couvercle pour avoir un peu d'air, pas suffisamment toutefois pour dissiper l'odeur de goudron et de naphtaline. J'attendis.

Quelque chose aborda le flanc du bateau avec un choc sourd. Ça ne ressemblait pas aux traditions de la marine britannique, et je commençai à me demander si c'était bien Fernie Tomas. Peut-être Harry Kondit m'avait-il attiré dans un piège. Je rougis à la crainte soudaine que le coffre ne se transforme effectivement en cercueil.

Une voix de femme – ce devait être la femme de Fernie – parlait très vite en portugais. Le canot allait à la dérive. Tiens la corde ! Est-ce qu'il ne pouvait pas l'aider ? Prends la valise ! Il y a de l'eau au fond du bateau ! Une rame a glissé dans l'eau ! La conversation continua pendant un moment sur les mêmes thèmes, comme toujours lorsqu'une femme se mêle de s'occuper d'un bateau.

J'entendis Fernie lui dire de se dépêcher en un portugais rapide. Rassurant et direct. Mais je me rendis compte de la raison qui l'avait rendu si taciturne en ma présence. Il avait un fort accent anglais. Il y eut des clapotements, des chocs sourds, puis une troisième voix, plus aiguë que celle de Fernie, retentit, qui intervint rarement. Il leur fallut une éternité pour embarquer, puis j'entendis la voix de la femme, cette fois à une certaine distance. Elle aussi regagnait la côte avec le canot. Il y eut un déclic lorsque quelqu'un alluma la lumière au-dessus du tableau de bord. En tenant mon visage horizontalement, oreille collée contre le couvercle froid du coffre, mon œil gauche entrevoyait un champ étroit, qui comprenait la moitié supérieure de la personne qui était à la barre.

Je voyais Fernie de profil, une tête en forme d'œuf, avec une lourde moustache noire masquant à demi la bouche. Sur la tête, il portait son chapeau mou de paysan. L'ancre remonta avec le ronronnement d'un rideau de théâtre, et le moteur vibra comme un long roulement de tambour annonçant le début du dernier acte de notre aventure à Albufeira. Fernie engagea l'hélice et je sentis l'eau bouillonner sous la coque. La lumière pendue au-dessus de sa tête accentuait les cernes noirs de ses yeux, lui donnant une mine de pirate. Ses mains manipulaient agilement les commandes, avec des gestes calmes et précis, tandis qu'il surveillait la boussole et le compteur. C'était un Fernie que je ne connaissais pas, Fernie aux prises avec la mer, Fernie marin. De son siège de timonerie, il ne pouvait voir la montre du bateau. À chaque instant, je l'entendais demander l'heure au gamin qui l'accompagnait.

Il ouvrit les gaz au maximum et le moteur, tournant à 3 000 tours/minute, se mit à fendre l'eau comme une foreuse pneumatique. Lorsque Fernie fut assuré d'être dans la bonne direction, il demanda au gamin de tenir la barre. J'entendis le cliquetis d'une valise qu'on ouvrait. Je pressai davantage mon oreille contre le couvercle du coffre, le soulevant de deux pouces. L'enfant fixait l'obscurité, tandis que Fernie, accroupi devant un châssis de radio, y introduisait de petites lampes. Puis j'entendis qu'il descendait l'escalier du salon. Il réapparut avec un câble noir alimenté à 24 volts, qu'il brancha sur la radio. Il cria :

— Bâbord, maintiens le cap à 240.

Le gamin qu'il avait emmené était Augusto, celui qui avait volé une mèche de cheveux de Fernie pour moi.

Augusto, sur son siège, ressemblait à un enfant au milieu d'un salon de thé. Il était cramponné au gouvernail, de ses petites mains potelées. Fernie lui parla en portugais du grand Américain à la gare. C'était probablement une question, car l'enfant dit que le « grand Américain » (surnom qu'on avait donné à Harry) avait déchargé une caisse de sardines, pour qu'elle soit expédiée par le train du matin à Lisbonne.

Il y eut un cliquetis, et Augusto fut baigné d'un grand reflet de lumière tandis que Tomas fouillait les vagues à l'aide d'une torche puissante. Des paquets de pluie et d'embruns brouillaient les contours d'Augusto alors que le bateau dansait sur la houle, et que l'eau que nous embarquions se vidait avec un grondement par les dalots. La petite radio s'était réchauffée, et émettait des notes hautes, comme une

TSF mal réglée. Tomas réapparut. Sa main était posée sur la radio. Il la régla.

— Cap au 245, cria-t-il pour dominer le bruit.

Je vis de nouveau la main de Tomas, et il déplaça la radio. Le signal capté devint plus fort.

— 250, cria-t-il.

Dans son énervement, il se mit à bafouiller, disant à Augusto de donner plus de gaz. Augusto dit que ce n'était pas possible, et il poussa les grands leviers de ses mains d'enfant pour le prouver. Soudain la radio émit un son qui ressemblait au *Vol du bourdon*, joué au double de sa vitesse sur une flûte. Tomas posa brutalement le poste, et disparut. Je vis le faisceau de lumière de sa torche passer sur la tête d'Augusto, puis se découper en noir contre les vagues illuminées.

Tomas balayait l'océan, cherchant quelque chose dans le rugissement de l'écume. Ce quelque chose était une boîte de métal.

Les sons de flûte du morse ultra-rapide se turent, et un sifflement continu les remplaça. Il y eut un craquement, qui m'intrigua pendant plusieurs minutes. Il était difficile d'imaginer un ancien officier de la Royal Navy se donnant des claques à lui-même, en proie à un accès d'irritation et d'emportement latins.

— Trop tard, cria-t-il à Augusto. Trop tard, trop tard, il est de nouveau au fond de la mer !

Il prit brusquement la barre, et la tourna brutalement. Le bateau fit une embardée, les hélices crièrent, perdant contact avec l'eau, tandis que le pont s'inclinait dangereusement vers l'eau noire.

J'avais malheureusement choisi cet instant pour sortir de mon coffre. Je tombai en avant, les genoux encore pris dans ma cachette, et je m'étalai de tout mon long sur le pont. Mon visage frôla la couchette bâbord, je me tordis le bras, et j'entendis mon Smith & Wesson glisser et tomber avec fracas dans le salon.

— Droite, la barre, cria Fernie, et le pont se stabilisa. Levez-vous, me dit-il, dans le meilleur style des histoires de pirates pour écolier.

Je n'avais pas très envie de me lever si c'était pour recevoir un direct au menton. Par ailleurs, à rester dans cette position, je risquais de recevoir un coup de pied dans la gueule.

— Je n'ai pas envie de me battre avec vous, Fernie, dis-je.

— Je vais vous tuer, déclara Fernie, non pas comme l'aurait fait un tueur, mais comme l'aurait fait un pion d'école anglaise annonçant son intention de fouetter un élève fautif.

— C'est une erreur que vous commettez, Fernie.

Mais discuter ne servait à rien. Quand un homme est aussi désadapté à une société que l'était Fernie, il a accumulé tant de dépit, de désespoir, de rage, de désir de vengeance, que la violence finit par jaillir de lui comme un bouillonnement de lave.

Augusto gouvernait le bateau d'une main ferme. Il coupa en partie les gaz. Fernie me faisait face de l'autre côté du pont. Il avança lentement, avec un équilibre impeccable.

Ses yeux étaient fixés sur les miens, me jaugeant, s'efforçant de deviner mes réactions probables. Nous étions à portée de bras lorsqu'il leva lentement les mains. Il les mit plus haut que sa taille, et je décelai un léger mouvement des épaules. Il me révéla ce que je voulais savoir. Les gens qui se battent avec leurs poings adoptent l'attitude du boxeur, une main et un pied légèrement avancés. Les adeptes du judo ont une attitude effacée. Fernie était un boxeur gaucher.

Un flot d'eau de mer traversa le pont, scintilla sous la lumière, et dessina un cimeterre sous les pieds de Fernie. J'ouvris ma main gauche, et je l'avançai en un geste de défense hésitant à travers ma poitrine vers le poing droit, immobile comme un roc, qu'il avait avancé.

Je surveillai ses yeux, qui décidaient de me faire basculer par-dessus le bord. Il se prépara à me descendre d'un gauche foudroyant. Mon corps était complètement exposé. Mes doigts se refermèrent sur son poignet droit et, du pied gauche, je heurtai sa cheville droite. Fernie s'efforça de saisir mon genou gauche pour me jeter au sol. La riposte était correcte, mais trop lente, beaucoup trop lente. Avant même que j'eusse tiré sa manche plus d'un pouce vers la gauche, il avait perdu l'équilibre. L'homme qui perd l'équilibre songe uniquement à le rattraper. Il oublie toute intention agressive. Il commença à tomber. Ma main gauche tirait toujours tandis que je me tournais moi-même vers la gauche. La main droite en l'air. Je m'étais complètement retourné maintenant, je serrais sous mon aisselle droite son avant-bras, et ma main gauche menaçait son radius et son cubitus. J'entendis un souffle court tout près de mon oreille et je vis Augusto se tourner vers nous, les yeux brillants comme des phares.

Même en cet instant, Fernie ne permit pas à la douleur de l'influencer. Il donna un coup de pied. La radio glissa à travers le pont, doucement, et tomba par-dessus bord. Il y eut un éclair lorsque le câble branché sur les batteries se mit en court-circuit, et un bruit sourd tandis que la radio heurtait la coque. Si le bateau avait avancé moins vite, peut-être aurions-nous pu repêcher la radio en ramenant le câble, avant que la fiche ne sorte de la prise.

C'était un drôle d'oiseau, ce Fernie. Il s'écarta de moi et s'assit sur le plancher, frottant le bras que j'avais presque cassé. Il dit :

— Savez-vous que je pourrais vous jeter par-dessus bord sans que personne ne pose de question ?

— Bien sûr, dis-je. Mais il y a le risque que je vous torde le cou avant si vous essayez.

— Le câble électrique s'est enroulé autour de l'hélice bâbord, dit Augusto.

Je poussai Fernie dans la cabine, sur une couchette. Il était trop vieux pour ce genre d'exercice physique et il haletait. Puis je dis à Augusto de remettre le cap sur Albufeira, en utilisant uniquement le moteur de tribord.

Le voyage de retour serait lent. Nous avions le vent contre nous. Le soleil commençait à se lever. Ce joujou de luxe n'était pas un bateau bon pour affronter le mauvais temps. Je récupérai mon revolver, et je me dirigeai vers Tomas.

— J'ai un passeport portugais, dit-il.

— Quand vous serez à Tarrafal[1], vous regretterez de n'avoir pas un autre passeport.

— J'ai purgé ma peine. Personne ne peut m'obliger à supporter la Gestapo britannique pour le restant de mes jours.

— Il ne vous en reste peut-être pas tant que ça. Lorsque vous vous mettez à faire le trafic de la drogue à l'échelle internationale, vous attirez fatalement l'attention. Il ne sert à rien de se plaindre ensuite.

---

1.   Prison politique espagnole à trois cents miles au large de l'Afrique équatoriale.

— Gardez vos mensonges pour votre rapport, dit Tomas, les narcotiques ne vous intéressent pas.

— Non ? Qu'est-ce qui m'intéresse alors ?

— Vous êtes intéressé par la *Weisse Liste*, le document que j'ai failli repêcher tout à l'heure.

— Ça, c'est vrai, dis-je.

— Elle est perdue. Perdue pour toujours. Vous ne l'aurez jamais.

— Mais vous savez en quoi elle consistait ?

Le visage de Tomas devint grisâtre. Il avait peur et c'était un homme qui ne s'effrayait pas facilement.

— Je l'ai vue, admit-il, mais je ne me souviens guère de son contenu.

— Laissez-moi vous rafraîchir la mémoire, dis-je. Je vais vous citer un des noms qu'elle portait.

Je nommai Smith. Tomas ne dit rien.

— Voyons, c'est bien l'homme que vous et votre ami Ivor Butcher aviez l'intention de faire chanter ? suggérai-je.

— On vous a parlé de Butcher, dit Tomas. Il n'a rien à voir avec tout ceci. C'est simplement un type bien, qui a essayé de m'aider. Il n'a rien fait de mal.

— Vraiment ? dis-je, mais je lui laissai ses illusions.

Je m'assis. J'étais aussi mou qu'une poupée de chiffons. Fernie tira sur sa moustache, hésita, puis dit :

— J'étais le seul survivant du sous-marin. J'ai pensé d'abord…

— Écoutez, Fernie, dis-je, j'ai pour principe de ne pas interrompre les gens quand ils parlent, surtout lorsqu'ils inventent des mensonges compliqués, parce qu'ils sont en général plus intéressants que la vérité. Toutefois, en ce qui vous concerne, je vais faire une exception. Si vous ne dites pas la vérité, je vous fais passer par-dessus le bord, et je vous laisse barboter jusqu'à ce que vous demandiez grâce.

— Soit, dit Fernie docilement. Par où dois-je commencer ?

— Laissez tomber ces histoires de marins morts rejetés à la côte avec une matrice à souverains dans leur poche, qui creusent leur propre tombe pour preuve du fait. Et ne me racontez pas que vous étiez à bord de ce sous-marin, à moins que vous ne sachiez ce qui l'a fait sombrer.

— Je n'en ai pas la moindre idée, dit Fernie.

— Votre ami da Cunha a-t-il volontairement sabordé le submersible avant de gagner la côte avec la précieuse *Weisse Liste* ?

— Non, dit Fernie sur un ton de tranquille réprobation. Ce n'est pas un homme à faire cela. Il a trop le sens de l'honneur.

— Oui, ripostai-je, à vous entendre, vous êtes tous des gens d'honneur, vous, Kondit, da Cunha. Une belle bande d'escrocs. Écoutez, Peterson – c'était la première fois que j'utilisais son véritable nom –, vous essayez d'échapper à l'inévitable. Derrière moi il y a un autre agent prêt à me succéder. Et derrière celui-là, un autre encore. Moi, j'ai l'âme tendre comparé aux énergumènes qui risquent de vous tomber dessus, en quelque partie du monde que vous alliez. Tout ce qu'on veut à Whitehall, c'est un dossier bien clair, sur lequel on puisse écrire le mot : terminé. Si vous vous montrez compréhensif, je signalerai l'aide que vous m'avez apportée. Vous ne savez jamais à quel moment une petite remarque de ce genre vous sauve la vie.

— Et qu'est-ce que vous voulez savoir ?

— Je ne sais pas ce que j'ai besoin de savoir avant de l'avoir entendu. S'il y a des choses que vous n'avez pas envie de raconter, vous n'avez qu'à les sauter.

— Très astucieux, dit Tomas. Les trous seront plus révélateurs que l'histoire.

— Bien sûr, ripostai-je. Je suis le procureur général voyageant incognito avec un magnétophone japonais dissimulé sous sa perruque. À moins que vous ne soyez un peu paranoïaque.

Fernie but une gorgée du whisky que je lui avais servi.

Il dit :

— Vous souvenez-vous de la guerre civile espagnole ? Vous souvenez-vous des actualités ? Des chevaux morts, des enfants blessés… (Il enleva un brin de tabac de ses lèvres.) Terrifié, j'étais terrifié. Des gens comme vous ne peuvent pas comprendre ça, n'est-ce pas ?

Il voulait une réponse. Je haussai les épaules :

— Aussi longtemps que vous ne me dites pas que c'est à cause de mon manque d'imagination…

Il regardait fixement devant lui tout en fumant.

— C'était cette fameuse guerre espagnole pendant laquelle Kondit affirmait que vous vous étiez comporté en héros ?

Fernie Tomas acquiesça. Pendant un instant, je crus qu'il allait sourire.

— Oui, c'était bien ça. J'y étais, parce qu'il y a des moments où vous avez si peur de quelque chose que vous éprouvez le besoin de l'affronter tout de suite. J'étais comme une personne qui veut se débarrasser d'un traumatisme. Tous les gens dont j'avais entendu parler s'étaient enrôlés dans les rangs gouvernementaux. Moi, j'ai donc été me battre pour Franco. On m'a envoyé dans une unité italienne. J'étais avec la seconde division du général Queipo de Llano à la chute de Malaga. Kondit a cru que je défendais Malaga. Ça lui faisait plaisir, et je ne l'ai pas contredit.

— Et vous, ça ne vous a pas fait plaisir ?

— Au début, si. J'étais couché sur la plage, et je regardais les cuirassiers, *Canarias*, *Almirante Cevera* et *Baleares*, venir bombarder Malaga. On aurait dit les grandes manœuvres. On entendait une explosion, on voyait un petit nuage de fumée, et puis, après une heure ou deux, ces messieurs regagnaient le large pour dîner. C'était beau à voir. De beaux bateaux, une guerre impersonnelle. On ne voyait pas la cible que l'on touchait. Personne ne ripostait. Bref, une véritable guerre de gentilshommes. Lorsque nous sommes entrés dans Malaga… Je n'ai pas besoin de vous raconter, vous avez vu des villes bombardées…

— Qui n'en a vu de nos jours ! répliquai-je.

— Comme vous le dites… Je me souviens…

Mais Fernie ne continua pas. On eût dit qu'il lisait dans une boule de cristal.

— Je me souviens, reprit-il, de la dernière fois où j'ai vu ma mère. On m'avait donné une permission parce que notre maison avait été touchée par une bombe. Mon père était mort de ses blessures, et ma mère vivait dans la cuisine, avec une toile goudronnée en guise de toit. Elle s'était refusée à s'installer dans un centre d'hébergement « en raison de tous les jours heureux qu'elle avait vécus dans cette maison ».

Il secoua la tête :

— Des jours heureux, qu'elle disait. C'était un taudis, et elle s'y était crevée de travail. Elle ne cessait de répéter qu'on avait emmené mon père à l'hôpital dans une véritable ambulance, pas un des machins de la défense passive. Eh bien! c'est à ça que ressemblait Malaga. Des chevaux morts, tout gonflés, une odeur de plâtras et d'égouts.

Je me rendis compte que la destruction de Malaga et celle qu'avait subie Londres s'étaient confondues dans son esprit, au point qu'il n'était plus capable de les distinguer. Je me souvins que lors de son arrestation il avait dit que tout était la même guerre, et cela me donna à réfléchir.

— En revenant d'Espagne, je m'enrôlai dans le mouvement fasciste britannique. J'ai rencontré Mosley personnellement. C'est un gars qu'on a méconnu, quelqu'un de dynamique et d'honnête. Tous les partisans vraiment machiavéliques du BUF avaient prévu la guerre plusieurs années à l'avance, et s'étaient camouflés dans les rangs du Parti conservateur. La plupart des gens à Whitehall qui vous donnent des ordres, et nous ont adressé des discours antinazis fracassants, se mordaient les doigts de n'avoir pas une bonne petite usine d'armement en Allemagne. Nous autres, on était des idéalistes, des naïfs. Plus tard, au moment du pacte Molotov-Ribbentrop, on a cessé de comprendre. Moi, je n'ai même plus essayé. Je me suis enrôlé dans la Marine comme télégraphiste, et j'ai obtenu mon brevet d'officier...

— Était-ce difficile pour vous?

— Non, dit Tomas. N'importe qui, pourvu qu'il s'achetât une pipe, des pyjamas, et des livres sur Paul Nash, était considéré comme digne de devenir officier.

— Je veux dire : est-ce qu'on vous a fait grief de votre activité politique ?

— S'il avait fallu qu'ils éliminent les gens qui avaient un passé politique en 1940, ils n'auraient pas trouvé suffisamment d'hommes pour armer une chaloupe. Les seuls Anglais à posséder quelques notions sur la guerre moderne étaient ceux qui avaient été en Espagne.

— C'est assez juste, dis-je.

— J'allai à Brighton, et je devins officier en l'espace de quatre mois. Ça me plut. On vivait pendant des mois avec les mêmes hommes sur un petit bateau, on finissait par connaître chaque vis et chaque boulon du bâtiment, et chaque particularité de son équipage. Quand le bateau est envoyé par le fond, c'est pire qu'un divorce après un mariage heureux. Vous perdez votre foyer, vos affaires, et tous vos amis sont morts, blessés, ou permutés. Il ne vous reste rien. Après avoir bu la tasse une seconde fois, j'ai passé douze jours à faire la tournée des bistrots de Londres dans le vain espoir d'y retrouver un visage connu. Je n'ai pas eu le courage de vivre cela de nouveau. Je me suis porté volontaire pour les sous-marins, en me disant que si on était coulé, au moins, on restait au fond. Mais avant même d'avoir jamais pu visiter un sous-marin, je me suis retrouvé en Écosse, en train de me débattre avec un équipement d'homme-grenouille.

Tomas demanda une cigarette. Après l'avoir allumée, il dit :

— L'entraînement des hommes-grenouilles, ça vous intéresse ?

— Dites toujours ce qui vous paraît valoir la peine.

— Vous êtes un drôle de type.

— Touché.

— J'avais ordre de me présenter au dépôt. Tout avait été de travers ce mardi-là. Le directeur de ma banque me harcelait pour douze misérables livres sterling, et ma MG a eu des ennuis de bougies sur l'autoroute du Nord. Vous vous souvenez à quel point il était difficile de trouver des pièces détachées pendant la guerre. Je suis tombé sur un gros plein de soupe, qui voulait m'extorquer de l'essence pour deux gars aux cheveux coupés en brosse, qui faisaient le commerce de la conserve. Je me suis énervé. Il a riposté que je devrais lui être reconnaissant de me céder une de ses précieuses bougies. « Je suppose que c'est vous autres, gars de l'armée, qui raflez tout », a-t-il dit, comme si nous exploitions le pays. « Oui, lui ai-je répondu, ça doit être dur de supporter la guerre au coin du feu, en écoutant les sermons de la patronne, et en tricotant des chaussettes. » À ce moment-là, les deux types sont devenus désagréables, et le gros plein de soupe m'a dit qu'il ne voulait pas d'argent pour sa bougie. Je n'ai rien oublié de la scène.

« ... J'ai tout de suite eu peur de l'eau profonde. Plonger de jour, ou dans de l'eau peu profonde, ça ne me faisait rien. Mais je ne pouvais pas supporter d'effectuer un travail en sachant qu'en dessous de moi il n'y avait qu'un gouffre d'eau de plus en plus profond.

Fernie s'interrompit pour crier à Augusto de surveiller la température du moteur. Augusto répondit qu'il ne l'oubliait pas.

— Vous ne pouvez pas savoir ce que c'est que de se trouver à bord d'un petit sous-marin de poche, dit Fernie. (C'était vrai, je ne savais pas.) C'est comme traverser la mer du Nord dans le coffre d'une voiture, moteur en marche. On met son scaphandre. Bien plus extravagant et mal commode que l'équipement actuel. Et ça, dans un espace plus étroit que celui d'une cabine téléphonique. Après quoi, on passe dans le capot, dont les panneaux, une fois sur deux, se coincent, en sorte qu'on suffoque dans un cercueil. Avec de la chance, le panneau extérieur accepte de s'ouvrir, et on réussit à sortir dans l'océan. On marche le long du pont du sous-marin, pas beaucoup plus large qu'une planche qui se rétrécit au fur et à mesure qu'on avance. L'étrave pointue sur laquelle on fait l'équilibre heurte avec des crissements de métal un filet antitorpille qui s'étend à perte de vue dans chaque direction. Les mailles du filet sont presque aussi épaisses que la barre de ce bateau. On s'y cramponne tout en sciant. Et pendant tout ce temps, le capitaine fait marcher le moteur, pour que le sous-marin continue à toucher le filet. Mais le pont grince et gémit, et un courant risque de le déséquilibrer, ou c'est la pluie qui accroît les ténèbres. Et vos bottes de métal glissent sur cette espèce de corde raide sur laquelle vous vous tenez.

Tomas se frotta les bras avec un frisson :

— Je rêvais sans cesse à cette époque que je glissais du pont, et que je tombais au fond de la mer. Et c'est ce qui a fini par arriver. J'ai saisi le filet lorsque j'ai senti le sous-marin se dérober. Le moteur était tombé en panne, et le courant le faisait dériver. J'étais tout seul au fond de la mer, suspendu à un filet.

Tomas se frotta le front, et but une large rasade. Je remplis de nouveau son verre. Il se taisait toujours. Je demandai :

— Et qu'avez-vous fait ?

— Je me suis hissé jusqu'à la surface, d'une maille à l'autre. (Les mains blanches de Tomas serraient convulsivement la couverture.) Je suis resté cramponné au sommet du filet jusqu'à ce qu'un bateau allemand, le lendemain matin, me repêche pendant sa tournée d'inspection. Ils m'ont raconté qu'ils ont été obligés d'ouvrir mes doigts de force pour me faire lâcher prise et me hisser dans le canot. J'étais le seul survivant de l'attaque. Ils m'ont fait manger et j'ai dormi pendant vingt-quatre heures de suite à la caserne locale de la Marine. Je ne savais que l'allemand que j'avais appris à l'école, mais c'était suffisant pour tenir une conversation. Le second jour, je dînai dans le mess des officiers, et j'ai dû boire un peu trop pour fêter mon sauvetage. Normalement, j'aurais dû être envoyé dans un camp de prisonniers et l'aventure se serait arrêtée là. Mais un des officiers fit une remarque en ma présence concernant deux corps qui s'étaient pris dans les hélices bâbord du cuirassé. Ils avaient essayé de les déplacer, mais il n'y avait pas de plongeurs aux environs. L'officier dit qu'il n'y avait pas d'autre solution que de remettre les hélices en marche. Il espérait que je comprenais que ce n'était pas une chose qu'un marin faisait de gaieté de cœur.

Tomas renifla, en faisant tourner son whisky dans son verre.

— Je lui ai dit que s'ils voulaient bien me rendre mon équipement, et recharger ma bouteille d'oxygène, je les remonterais en un rien de temps. Tout le monde dans le mess me félicita pour mon sens de la camaraderie, et m'assura que mes camarades seraient enterrés avec tous les honneurs de la guerre par la marine allemande.

Tomas leva les yeux vers moi. Il ne souriait pas.

— Il est facile aujourd'hui d'être cynique, et de considérer tout cela comme une comédie arrangée à l'avance. Mais en ce temps-là, les génies de la propagande nous avaient tellement tourné la tête qu'on se comportait tout naturellement comme les héros d'un film de guerre. Vous voyez ce que je veux dire ?

— Et comment !

— Ils envoyèrent deux officiers de la Kriegsmarine me tenir compagnie, qui demandèrent s'ils pouvaient se servir de mon appareil. Je n'y tenais pas. Ils n'insistèrent pas. Ils connaissaient leur métier comme vous connaissez le vôtre, et savaient être patients.

— Oui, dis-je. Recueillir des informations, c'est comme faire du fromage à la crème. Si on l'essore trop violemment, tout est gâché.

— C'est bien cela. Ils m'ont tiré les vers du nez peu à peu, pendant que je vivais avec les officiers, avec un domestique affecté à mon service, nourri comme un coq en pâte. Ils me disaient de ne pas me dépêcher, qu'il y avait peut-être d'autres cadavres aux environs. Une fois qu'ils eurent organisé un service funèbre avec discours sur la fraternité des marins qui affrontent les périls de l'océan, j'ai été envoyé à Cuxhaven, dans un camp de prisonniers. La nourriture était épouvantable et on me traitait comme un criminel de droit commun. Un soir, où j'étais aussi déprimé qu'il est possible de l'être, un des officiers allemands que j'avais vu en Norvège vint me trouver en compagnie d'un nommé Loveless.

— Graham Loveless ? demandai-je. C'est le neveu de Smith.

— Oui, dit Tomas. Je leur dis que j'avais été membre du BUF. Ils déclarèrent que si j'acceptais de m'enrôler dans la Légion de Saint-Georges (plus tard appelée Britische Freikorps), ils s'arrangeraient pour que je continue à vivre avec les officiers de marine allemands. Ils m'affirmèrent qu'on ne me demanderait d'utiliser mon scaphandre que pour sauver des vies humaines et des biens contre notre ennemi mutuel, la mer.

Tomas me regarda et haussa les épaules.

— Et vous avez donné dans le panneau ?

— J'ai donné dans le panneau, acquiesça Tomas.

— C'est à ce moment-là que vous avez fait la connaissance de Giorgio Olivettini ?

Tomas ne tomba pas dans le piège. Il se dirigea lentement, délibérément, vers lui. Il me regarda et dit :

— Oui. C'était peu de temps après. Il vous l'a dit ?

J'essayai un mensonge simple :

— Je m'en suis douté lorsque je vous ai vu auprès du sous-marin, la nuit où Giorgio est mort.

— Ah ! c'était vous que j'ai vu ? dit Tomas. Oui, je vais quelquefois nager la nuit, pour le plaisir.

Je savais qu'il mentait. Cette nuit-là, il avait manifestement été livrer son héroïne. Mais je ne dis rien.

Je remplis nos verres à tous les deux. Cela aida Tomas à se détendre.

Il dit enfin :

— C'était une murène.

Je lui donnai de la glace que j'allai prendre dans le réfrigérateur.

— C'était une murène, répéta-t-il.

Je mis un cube de glace dans son verre, et deux cubes dans le mien.

— Une murène, cria-t-il, une murène, vous m'entendez ?

— Je vous crois, dis-je.

— Elles vous mettent en pièces. Elles sont aussi grosses que des porcs, et ont des dents comme des rasoirs. Elles me terrifient. Il y en a des centaines le long de la côte, dont beaucoup ont huit pieds de long. En général, elles vivent dans les rochers, mais celles-là se sont installées dans la coque du sous-marin.

Je me souvins des plaies que portait le corps de Giorgio. Peut-être était-ce vrai. Tomas se mit à parler rapidement :

— Il était lieutenant quand je l'ai rencontré. La Wehrmacht méprisait les Italiens, mais les hommes-grenouilles, c'était différent. Ils étaient considérés comme des autorités en matière de plongée. C'était plutôt drôle. Giorgio était le seul homme à comprendre que cette maudite guerre n'était qu'une horrible farce. Nous nous étions l'un et l'autre battus dans les deux camps. Il avait été décoré à la fois par les Allemands et par les Américains.

— Je ne savais pas cela.

— Mais si : j'étais présent lorsqu'on lui a remis l'ordre du Mérite avec étoile, en Allemagne.

Il but une gorgée de whisky.

— C'était un plongeur fabuleux. (Il but une nouvelle gorgée.) Je n'aurais jamais pu le tuer, à coup sûr. Vous n'imagineriez pas un trapéziste poussant l'autre dans le vide, n'est-ce pas ? C'est la même chose.

— Racontez-moi ce qui s'est passé immédiate-ment avant la capitulation de l'Allemagne.

— Si vous connaissez mon véritable nom, vous avez lu le compte rendu de mon procès ?

— Ça ne donne pas une idée claire de ce qui s'est passé, dis-je.

— Loveless était un grand personnage aux yeux des Allemands, dit Tomas. Les gens disaient que si les Allemands gagnaient la guerre, ils nommeraient Loveless Premier ministre de Grande-Bretagne. Quand Loveless vint me dire qu'ils avaient perdu la partie, je l'ai cru aussitôt. C'est Loveless qui a voulu aller à Hanovre. Moi, je voulais aller plus au sud, dans le secteur des Américains. Mais Loveless prétendait qu'à Hanovre, nous serions en sécurité, et je l'ai suivi. Une partie des archives de la Wehrmacht se trouvait à Hanovre, et Loveless avait reçu la permission de consulter certains de leurs documents.

Il alla donc aux Archives et photographia la *Weisse Liste*.

J'acquiesçai de la tête, espérant que Tomas s'expliquerait davantage.

— C'était un dossier qui avait la taille et la forme d'un livre broché, et une couverture grise. À l'intérieur se trouvaient les noms et les adresses de sujets britanniques en ordre alphabétique, avec des pages blanches en vue de noms supplémentaires. Il s'agissait de personnes disposées à prêter une assistance active aux Allemands en cas d'invasion.

— Loveless croyait-il que ces personnes étaient les plus aptes à négocier une reddition des Allemands?

— Vous ne m'avez pas compris, dit Tomas. Loveless se souciait comme d'une guigne des Allemands et de ce qui leur arriverait.

Le vent, dehors, soufflait à la force 5, et dans la cabine chaude, bien éclairée, il était facile de se croire revenus dans le monde de 1945.

Tomas se versa un nouveau whisky et dit à Augusto de faire tourner le moteur au ralenti, déclarant que nous étions en train de gaspiller du carburant. Après que nous eûmes l'un et l'autre admis qu'Augusto était un gamin d'une intelligence exceptionnelle, et les Portugais des marins-nés, Tomas but une nouvelle rasade de whisky, et poursuivit :

— Loveless, donc, photographia la *Weisse Liste* (par opposition à liste noire) et enterra les photographies dans un jardin, dans un quartier bombardé de Hanovre. On nous a détenus pendant un temps dans une prison allemande. Les lumières étaient allumées tout le temps, jour et nuit, tout était carrelé de blanc, et on avait l'impression que les murs brillaient comme des fausses dents. De temps à autre des portes claquaient, avec un écho de tonnerre, et on entendait constamment le tintement des clefs des gardiens. Quelquefois, le psychiatre ou le médecin de la prison entrouvraient le judas de la porte de votre cellule pour vous examiner, et vous deviniez qu'ils notaient tout, en inventant des motifs. Ces gars-là croyaient que le monde entier, à l'exception d'eux-mêmes, était fou. En dehors de cet œil qui luisait à travers le judas, les prisonniers n'apercevaient pour ainsi dire pas de signe de présence humaine. Mais de temps à autre j'entendais Loveless poser des questions au garde, sur n'importe quoi, afin de me faire savoir qu'il était encore là. Finalement, j'ai pu avoir un bref entretien avec lui lorsque la Marine a envoyé deux officiers pour nous ramener au Royaume-Uni. Loveless était capitaine de frégate. Cela les a impressionnés, et nous avons eu droit à une cabine sur le ferry de Harwich. Loveless m'a dit qu'il avait l'intention d'aller à la barre des témoins et de citer les noms de tous les Anglais de la *Weisse Liste*.

— Cela a dû lui donner une notoriété certaine, dis-je.

— Ils voulaient éviter cela à tout prix. Ils lui ont dit que s'il acceptait de plaider coupable pour les cinq chefs d'accusation relevés contre lui, ils étaient prêts à conclure un marché avec lui.

— Un marché ?

— C'est ça. On lui a dit que s'il plaidait coupable, il serait condamné à mort, mais que la sentence ne serait pas exécutée.

— Pourquoi l'a-t-il cru ?

— C'est ce que je lui ai demandé. Je me fais un point d'honneur de ne faire confiance à personne. (Si c'était une plaisanterie, Tomas n'en laissa rien voir.) Après le jugement, poursuivit-il, le président de la cour martiale signe la sentence de mort, et, après être scellée, elle est envoyée au prisonnier. Avant qu'elle soit exécutable, toutefois, il faut qu'un officier vérifie le détail du déroulement du procès, afin de s'assurer qu'il n'y a pas eu d'irrégularités, et que la loi a été respectée. Comme vous le savez, la plupart des personnes qui participent à une cour martiale n'ont pas de formation juridique, et beaucoup d'entre elles n'ont jamais assisté à un procès. C'est la pire espèce d'improvisation.

— Heureusement pour moi, je ne suis pas en mesure de contredire votre expérience, dis-je. Mais parlez-moi encore de ce marché.

Tomas dit :

— Une des fonctions de l'officier chargé de confirmer la sentence ou de casser le jugement est de vérifier si le prisonnier est en pleine possession de ses facultés mentales. Selon le paragraphe 4 de la loi de 1890 concernant la démence, il suffit de deux certificats médicaux, et du constat effectué par un juge de paix, pour que l'officier chargé de la vérification du procès *détruise toute trace de la condamnation*, et envoie le prisonnier dans une clinique psychiatrique. Selon les règlements de l'Amirauté, le malade est rayé des rôles du marin au bout d'un mois.

— Et Loveless croyait que cela se passerait ainsi s'il plaidait coupable.

— C'est ça. Voyez-vous, quelqu'un lui apportait ses rapports médicaux quotidiens pour qu'il les brûle, en lui assurant qu'on en fabriquerait d'autres, antidatés, signalant des symptômes de dérangement mental.

— Et vous, vous n'avez pas demandé à bénéficier du même traitement ?

— Non, dit Tomas. L'officier qui a instruit mon procès m'a parlé de la *Weisse Liste*, mais j'ai déclaré que je ne savais pas de quoi il parlait.

— Et l'on a jugé Loveless avant vous ? demandai-je.

— Oui. Il a plaidé coupable, et on l'a ramené dans sa cellule. Ils n'ont pas voulu m'interroger le même jour. Ils ont commencé seulement le jour suivant. Et c'est cette nuit-là, après mon premier jour de procès, que la chose est arrivée.

— Qu'est-ce qui est arrivé ?

Tomas s'essuya les mains sur un vieux mouchoir tout raccommodé, but une gorgée de whisky, puis s'adossa aux coussins comme pour dormir. Je me rapprochai, et me penchai vers lui :

— Qu'est-ce qui est arrivé ?

Tomas avait fermé les yeux, et son visage se contracta sous l'influence d'une subite douleur, que ce fût celle de son bras, ou celle des souvenirs.

Il dit à voix basse :

— J'ai entendu Loveless crier : « Aide-moi, Bernie, aide-moi ! » Et puis il y a eu des pas, et un bruit de clefs. J'ai entendu une voix qui parlait très bas, je pense que c'était l'aumônier. Je n'ai pas pu comprendre ce qu'il disait. Puis j'ai entendu de nouveau la voix de Graham. Elle était très aiguë, et plus distincte que les autres. « Ils vont me pendre, Bernie, criait-il, puis de nouveau : Aide-moi ! » Il y a eu un nouveau cliquetis de clefs, le claquement de la porte, et puis le silence.

— Lui avez-vous répondu ? demandai-je.

— Non, dit Tomas. J'y repense tous les jours de ma vie. Mais que pouvais-je dire : je t'avais prévenu, ou : tiens bon, j'arrive, ou : tout est pour le mieux ? Que pouvais-je lui répondre ?

— C'est juste, dis-je. Il n'y avait pas grand-chose à dire.

Ils l'auraient pendu de toute façon.

J'avais la conviction que tout ce qu'il venait de raconter était vrai.

46

Tomas et moi nous restâmes un long moment à
nous regarder. Quand je me décidai enfin à parler, je
le fis du ton le plus détaché possible.

— Et lorsque vous êtes sorti de prison, vous avez
fait un voyage à Hanovre, et vous vous êtes acheté
une pelle ?

— J'aurais eu besoin d'autre chose que d'une
pelle, dit Tomas. Lorsque je suis revenu à l'endroit où
s'élevait la villa dans le jardin de laquelle Loveless
avait enterré la *Weisse Liste*, on y avait construit un
immeuble de douze étages, des logements ouvriers.

— Et comment vous êtes-vous procuré cette
fameuse liste ?

— Vous me faites rire, dit Tomas. (On ne l'aurait
pas dit.) N'avez-vous pas encore compris que nous
avions été joués par quelqu'un qui est beaucoup plus
malin que vous et moi ensemble ?

— Mais encore ?

— Il y a un seul homme aujourd'hui qui ait accès
à la *Weisse Liste*, à la seule copie qui en reste. Il
s'est donné beaucoup de mal pour se la procurer, et
davantage encore pour la mettre en sécurité dans un
endroit où lui seul peut la prendre.

Il y eut un moment de silence. Puis il reprit :

— Les papiers sont dans une bouée météorolo-gique de la marine allemande au fond de la mer[1]. Pour repêcher la bouée, il faut la rappeler à la surface de l'eau à l'aide d'un appareil spécial, qui lui transmet un signal radio.

— Et c'est ce que vous étiez en train d'essayer de faire ?

— Mais non, dit Fernie. L'appareil que m'a donné da Cunha est un récepteur. Nous avons *entendu* la bouée venir à la surface, comme le senhor da Cunha le faisait chaque soir, se réjouissant de sentir son trésor à portée, et inaccessible pour tout autre que lui. C'est le poste récepteur qu'il m'a donné, répéta Tomas à voix basse. Il m'a bien eu ! La bouée est de nouveau au fond de l'océan.

Je hochai la tête :

— Parlons de Smith, dis-je.

— Smith n'est qu'un nom de la liste, dit Tomas. Da Cunha a obligé des tas de gens à lui envoyer de l'argent ou des cadeaux.

— Mais vous, vous avez suivi son exemple, ripostai-je. Vous avez dit à Smith de vous obtenir de la morphine brute, afin de pouvoir continuer votre petit trafic avec Kondit.

— Ce n'était pas difficile à deviner, dit Tomas.

— Mais, da Cunha, que faisait-il avec l'argent ?

Tomas ne répondit pas.

— Était-ce pour financer le mouvement Jeune Europe ? Tout allait-il aux groupes fascistes actuels ?

_____

1. Bouées larguées par des bateaux et des avions pendant la Seconde Guerre mondiale. Elles revenaient à la surface toutes les douze heures et transmettaient par radio les informations météorologiques relevées par le matériel qu'elles contenaient.

Tomas ferma les yeux :

— Oui, dit-il. Je suis toujours et malgré tout un croyant.

— Mais une partie était destinée à financer son laboratoire et ses expériences sur la fonte de la glace ?

— Comme tous les grands hommes, dit Tomas, le senhor da Cunha a son faible. Faire fondre la glace est son dada.

Il avait gardé les yeux fermés.

Nous entendîmes, par-dessus le bruit de la mer, la voix d'Augusto venant de la timonerie. Nous approchions de la côte.

— Je vais monter, dit Tomas.

Au même moment, nous entendîmes un choc sourd contre la coque.

— Un débris quelconque, dit Tomas.

Augusto avait relancé le moteur. Nous entendîmes un second choc, puis un troisième. Augusto toussa, et soudain, il dégringola de la cabine. Je le saisis alors qu'il tombait de l'échelle. Son corps s'affaissa dans mes bras, et ma vareuse s'imprégna de sang. Le sang d'Augusto.

Tomas et moi demeurâmes un moment pétrifiés, passant en revue les explications possibles. Moi, je pensais à un accident, mais Tomas avait l'esprit plus vif. Il devina aussitôt l'identité du coupable.

— C'est Kondit, dit-il.

Le bateau poursuivait en ronronnant son chemin vers la côte.

— Mais d'où cela ?

— Il tire avec son fusil à lunette du haut de la falaise, dit Tomas.

Il y eut deux autres chocs et maintenant que je tendais l'oreille, j'entendais la détonation lointaine de l'arme. Le plancher était tout glissant de sang.

Tomas était d'un calme imperturbable. Il dit :

— Si nous essayons de gagner la timonerie, nous allons nous faire tirer dessus. Si nous restons ici, le bateau va aller s'échouer contre les falaises de Tristos, et nous allons nous noyer.

Le bateau roulait lourdement sur la houle.

— Ne pourrions-nous parvenir jusqu'à la mèche du gouvernail sans passer par le pont ?

— Trop long. Avec une mer comme celle-ci, il faut agir vite.

Maintenant qu'Augusto n'était plus à la barre, le bateau dérivait et se présentait par le travers aux lames. C'était un bateau en contre-plaqué. Il volerait en éclats du premier coup s'il était drossé contre les rochers. Augusto avait fourré une fusée de signalisation dans sa bouche, et il la serrait entre ses dents plutôt que de crier avec ses poumons perforés.

Tomas avait été prendre le petit réfrigérateur de la cabine et le hissait en haut de l'escalier. Je n'ai jamais compris comment il avait réussi à le soulever. Avec un grand choc, l'appareil atterrit sur le pont, et Tomas, s'en servant comme d'un bouclier, le poussa vers la timonerie. J'entendis un claquement métallique, prolongé par l'écho, signalant qu'une des balles de Harry Kondit venait de ricocher sur le métal. Tomas était couché de toute sa longueur sur le pont et tenait le bas de la barre. Il la redressa, et je sentis le bateau répondre. Par le hublot, je voyais les rochers. Ils étaient terriblement proches et après chaque déferlement, les lames retombaient de leurs flancs déchiquetés. On eût dit la gueule baveuse d'un monstre attendant d'avaler sa proie.

Le bateau virait. Je criai à Tomas de regagner l'abri de la cabine. Il me cria :

— Voulez-vous rester ici à tourner en cercle ?

Il resta où il était. Une nouvelle balle vint ricocher contre le réfrigérateur. La porte s'ouvrit et des bouteilles de coca-cola, des cubes de glace, des tranches de saumon fumé glissèrent vers la cabine.

Aussitôt que le virage fut suffisamment amorcé, Tomas bloqua la barre avec un tabouret. Il se mit à ramper en direction de la cabine. Mais il battait en retraite trop tard. Le changement de cap qui avait sauvé le bateau avait condamné Tomas à mort. Le réfrigérateur ne le protégeait plus. Kondit le cribla de balles. Avec la lunette télescopique Zeiss × 24, une seule balle eût suffi.

47

Une douzaine de douilles de 7 mm était tout ce qui restait du passage de Harry Kondit sur le sommet de la falaise, lorsque je réussis à rentrer au port avec le yacht. Le temps s'était gâté, les nuages étaient bas et le baromètre tombait encore, mais les pêcheurs étaient au travail parmi leurs filets éparpillés sur la grève.

Je remontai la plage pour aller chercher Charly. Il fallait un médecin d'urgence pour Augusto. Lorsque j'arrivai en haut des escaliers, je regardai par-dessus la balustrade du quai. Augusto était toujours couché sur le pont du bateau, yeux vides, inconscient, cramponné à la main de Fernie. Il s'était refusé à lâcher prise.

Charly était au café, en compagnie de deux membres de la police secrète. Lorsque je lui annonçai la mort de Fernie, elle la prit aussitôt au compte de son enquête sur le trafic de narcotiques, de façon à m'éviter d'y être personnellement impliqué.

Après ce que Fernie m'avait raconté, nombre de faits jusqu'alors disparates commençaient à s'enchaîner en une succession logique de causes et d'effets. Il restait toujours des détails inexpliqués, mais il fallait s'y attendre. Il y aura toujours des actes incompréhensibles accomplis sous l'impulsion du moment par des êtres humains aux réactions imprévisibles. Mais les motivations commençaient à apparaître. Je savais, par exemple, ce que nous trouverions chez da Cunha. Mais j'allai tout de même visiter la maison.

Les meubles étaient couverts de housses, et mes pas éveillèrent de longs échos dans la bibliothèque vidée de ses livres. Quelques-uns des grands chandeliers étaient restés allumés et répandaient une lumière rougeâtre dans le soleil qui inondait la maison. Je montai à l'étage supérieur, cherchant le genre de pièce que je savais y trouver. Il me fallut forcer la serrure pour y pénétrer. La grande porte de chêne s'ouvrit à regret. C'était une très grande pièce, entièrement peinte en blanc. Des lampes fluorescentes éclairaient les tables, et il restait suffisamment d'appareils pour montrer qu'il s'agissait d'un laboratoire bien équipé.

Ce n'était pas l'installation de fortune que Kondit s'était fabriquée dans un coin de son usine. C'était un véritable laboratoire de recherche, climatisé, du genre de ceux que les grandes sociétés de produits pharmaceutiques font construire pour investir leurs bénéfices. Je me promenai le long des tables, admirant les appareils de mesure, les éprouvettes, les vibrateurs électriques. J'examinai les machines chauffantes à rayons infrarouges, et les thermomètres destinés à mesurer la conductibilité des liquides. Je ne trouvai pas le senhor Manuel Gambeta do Rosario da Cunha, car il avait pris la fuite depuis longtemps.

Clive Singleton revint de Lisbonne juste à temps pour emballer tout notre matériel et repartir avec lui.

Je lui expliquai qu'il avait la tâche la plus importante de toutes : s'assurer que l'équipement de plongée parviendrait intact à Londres. Je n'osais penser au prix qu'il m'en coûterait s'il était endommagé. Charly, elle, tirait de multiples satisfactions de l'importance que lui donnait son rôle de détective dans l'affaire des narcotiques et Clive Singleton était plus que jamais son chevalier servant.

Je téléphonai à Londres sur une ligne ordinaire. Je leur dis de faire suivre Ivor Butcher. Confiez cette mission à Tinkle Bell, leur demandai-je. On me répondit qu'il n'était pas très doué pour ce genre de travail, et je ripostai que c'était une excellente occasion pour lui de s'exercer.

— Et si Butcher essaie de quitter le pays ? m'objecta Londres.

— Délivrez un mandat d'amener, dis-je patiemment.

— Mais sous quel prétexte ? demanda Londres.

— Pourquoi pas « désordre sur la voie publique » ? dis-je en raccrochant avec irritation.

48

Lorsque je descendis de l'avion, à l'aéroport de Londres, il pleuvait à seaux. La pluie ruisselait sur le fuselage luisant, et tombait en petits niagaras des ailes. L'hôtesse au sol avait relevé son col qu'elle tenait étroitement serré autour de son cou, et grimaçait sous l'averse. Jane m'attendait dans le hall avec une lourde serviette.

C'était le début d'une semaine de travail intensif. Le comité Strutton se réunissait pour la première fois. Tout se passa comme cela est de règle en l'occurrence. Il y avait les gens qui exigeaient des définitions, et ceux qui demandaient la copie de documents qu'ils avaient égarés. Dawlish et moi formions une bonne équipe : je transformais les objections majeures en objections mineures, que Dawlish se chargeait d'aplanir. Pour la première session d'un comité interministériel, c'était plutôt réussi. Mais je me rendis compte qu'O'Brien s'apprêtait à nous faire des ennuis. Il insista pour nous imposer toute une série de procédures administratives, avec l'espoir que Dawlish perdrait son sang-froid. Mais Dawlish était depuis longtemps immunisé contre ce genre de chose. Il laissa O'Brien discourir jusqu'à ce que le souffle lui manquât. Puis il attendit un bon moment avant de dire :

— Vous croyez vraiment ?

Comme s'il n'était pas très sûr qu'O'Brien eût été jusqu'au bout de l'exposé de son idée. Après quoi, Dawlish expliqua son propre point de vue en reprenant les choses par le début, avec autant de modération, de patience et de clarté, que s'il s'adressait à un enfant. Dawlish eût préféré faire un accroc à ses pantalons plutôt que de violenter la syntaxe. C'était un plaisir de le voir manœuvrer.

Berhard était un jeune homme intelligent, nouveau venu dans le service, que Charlotte Street avait recruté pendant mon absence. C'était un grand garçon séduisant en diable, qui portait des polos, et allait voir des films avec sous-titres. Il était capable de dire en un mot long ce que l'on dit normalement en huit mots courts. Je lui dis de faire une enquête sur les intérêts de Smith dans les diverses sociétés dont il était actionnaire. Smith employait toute une équipe d'hommes de loi pour camoufler ses sociétés par des holdings, et ces holdings par d'autres holdings. C'était une mission de longue haleine.

Le mardi matin, je reçus un coup de téléphone d'Ivor Butcher. Il utilisait un téléphone extérieur qui, d'après la poste, était celui d'une agence de détective. Jane lui dit que j'irais le voir à une adresse qu'il donnait dans le SW 7, à 8 h 30.

Je fus occupé tout l'après-midi. À 7 h 30, je fermai le bureau, et la machine IBM qui nous servait à classer nos informations secrètes avec les renvois de référence. Sans elle, les fiches accumulées dans l'immeuble n'auraient été qu'une collection de nombre de rues, de photographies et de faits totalement dénués de sens.

J'avais fait un rapport superficiel de la situation à Albufeira. J'écrivis «terminé» sur le dossier Alforreca, et je le donnai à Dawlish pour qu'il le parafe. Il mit ses initiales dans le petit carré réservé à cet effet, sans commentaires, et tendit le dossier à Alice. Mais ses yeux demeurèrent constamment fixés sur les miens.

Le numéro 37 de Little Charton Mews est un de ces labyrinthes de culs-de-sac à pavés ronds de Kensington où l'on célèbre l'acquisition d'un garage transformé en salon en plantant un rosier dans un tonneau. Dehors, deux hommes en pardessus trois-quarts se versaient du whisky avec des flacons de poche. Je frappai légèrement en agitant le marteau de cuivre fixé sur la porte et un homme portant un masque de gorille en caoutchouc vint m'ouvrir :

— Entrez, la fête est ouverte à tout le monde.

Sa voix vibrait derrière le masque de caoutchouc.

— Pour les filles, c'est à droite. Le bar est au fond.

Il empestait le vin d'Algérie.

La maison fourmillait d'invités. Les hommes portaient des cravates aux couleurs de leur régiment, les filles des gants qui montaient jusqu'au coude.

Quelqu'un derrière moi discourait en parlant de quasi-humanisme, et d'empirisme, et un autre homme, ses deux mains jointes autour d'un verre de bière, riposta :

— Et puis après ? Est-ce que Picasso me comprend, moi ?

J'arrivai jusqu'à la grande table derrière laquelle se tenait un homme qui portait un foulard noué autour du cou dans une chemise ouverte :

— Il n'y a que du gin, de la bière, du tonic et… (il secoua une bouteille de sherry avec colère) du sherry. (Il la tint contre la lumière et répéta : sherry.)

Une fille avec un long fume-cigarette en ivoire déclara :

— Mais j'aime mon corps mieux que le vôtre.

Je pris mon verre et je pénétrai dans une minuscule cuisine. Une fille barbouillée de mascara mangeait des maquereaux en conserve en sanglotant. Je m'en retournai. La fille qui aimait son corps parlait de starters automatiques.

Je ne vis nulle part Ivor Butcher. Au premier étage, la foule était aussi dense, à l'exception d'une petite pièce au bout du couloir. J'y trouvai trois jeunes gens en blue-jeans et gros pull-over. Le poste de télévision avait été déréglé, en sorte que l'image était déformée, et le son coupé. Un chanteur roucoulait sur le gramophone. Ils se tournèrent vers moi, et l'un d'eux enleva ses lunettes noires :

— Vous avez l'air aussi stupide que le type à la télévision.

— Désolé de vous avoir dérangé, les gars, dis-je, et je refermai la porte sur l'odeur de marijuana.

Je trouvai finalement Ivor Butcher au rez-de-chaussée.

Au centre de la foule qui se bousculait, une douzaine de couples dansaient très doucement afin de ne pas déchirer leurs vêtements en les accrochant à un diamant. Ivor Butcher dansait en titubant quelque peu avec une fille courte sur pattes qui avait des yeux verts, un corps volumineux, et une très petite robe du soir.

— Bien content de vous voir, dit Ivor Butcher d'une voix pâteuse. Que dites-vous de ma surprise-partie ?

— Sensass, ripostai-je.

Il se gonfla de fierté, et je décidai que l'hyperbole avait décidément encore un rôle à jouer dans l'établissement des relations humaines. Lorsqu'il eut fini de danser, Ivor Butcher manifesta le désir d'avoir un entretien avec moi. Il se dirigea vers ma voiture d'un pas incertain. L'homme au masque de gorille soutenait une jeune femme qui avait une nausée spectaculaire.

49

— Savez-vous, dit Ivor Butcher, puis il s'interrompit, regardant avec inquiétude le tableau de bord de ma voiture.

Du doigt je lui montrai le second bouton sur la gauche. Il le tira et l'essuie-glace se mit à fonctionner. Il hocha la tête avec satisfaction : Les essuie-glaces rendent inintelligibles les enregistrements magnétiques.

— Que se passe-t-il ? demandai-je.

— Quelqu'un me fait filer, dit-il.

— Vraiment ?

— Ça ne fait pas de doute. J'en ai eu la certitude aujourd'hui. C'est pourquoi je vous ai téléphoné.

— Je ne comprends pas pourquoi vous m'avez téléphoné à moi, répliquai-je. Il n'y a rien, que *moi* je puisse faire.

J'attendis une minute, puis j'ajoutai :

— Les choses sont allées trop loin pour que je puisse intervenir.

— Trop loin ? répéta Ivor Butcher. Qu'est-ce qui est allé trop loin ?

— Je ne suis pas au courant de l'affaire, dis-je, comme si je craignais d'avoir déjà trop parlé.

— Vous voulez dire, l'histoire portugaise ? L'imbécile d'Espagnol et tout ça ?

— Ça vous étonne ? Vous vous êtes laissé impliquer dans une sale affaire. Est-ce que Smith ne peut pas vous tirer de là ?

— Il prétend qu'il ne peut pas. Qu'est-ce qui va arriver ?

Je lui tapai sur l'épaule :

— Vous savez que je pourrais moi-même avoir un tas d'ennuis, rien que pour avoir accepté de m'entretenir avec vous.

Ivor Butcher dit « oui, oui » sur une douzaine de tons différents. Après un temps approprié, je dis :

— C'est parce que vous nous avez donné de fausses informations que les choses sont devenues si graves. Je veux dire, que vous vous êtes rendu coupable de trahison, ajoutai-je du ton le plus détaché.

Ivor Butcher répéta le mot trahison plusieurs fois, passant du ton neutre au ton interrogateur, tandis que sa voix devenait de plus en plus aiguë.

— Vous voulez dire que je risque d'être fusillé ? demanda-t-il enfin.

— Non, dis-je. Nous sommes en Angleterre. Nous ne faisons pas de choses de ce genre. Vous serez pendu.

— Non ! dit Ivor Butcher dans un soupir, et il s'affaissa contre la portière de la voiture.

Il s'était trouvé mal. L'homme au masque de gorille abandonna la jeune femme à elle-même et me demanda s'il pouvait m'être de quelque secours.

— Mon ami ne se sent pas bien, lui dis-je. C'est la chaleur et l'alcool. Peut-être un verre d'eau lui ferait-il du bien ?

Il fallut un bon moment à l'homme au masque de gorille pour se frayer un chemin jusqu'à la cuisine.

Entre-temps, Ivor Butcher secouait la tête et respirait lourdement.

— Je suis désolé, dit-il, vous devez me prendre pour une poule mouillée.

— Ne vous inquiétez pas, répondis-je. Je vous comprends très bien.

C'était vrai.

— Vous êtes un brave type, riposta-t-il. Pensez-vous que je doive faire une déposition officielle ? Smith ne m'a presque rien payé en échange de ce que j'ai fait pour lui. Je ne suis que du menu fretin.

Il ferma les yeux, accablé.

Je lui dis qu'il suffisait qu'il m'expose à moi les faits avec exactitude.

À ce moment-là, l'homme au masque de gorille revint avec un pot de confiture plein d'eau.

— Il n'y a plus de verre à la cuisine, expliqua-t-il de sa voix étrangement déformée par l'écho du masque.

Il tendit l'eau à Ivor Butcher qui, d'une voix suraiguë, s'exclama :

— Voilà l'homme qui me suit, et il perdit conscience de nouveau.

— La fille barbouillée de mascara est-elle encore dans la cuisine ? demandai-je.

— Oui, dit l'homme à la tête de gorille. Elle affirme qu'Elvis Presley est un brave type. (Sa voix se prolongea de nouveau d'un écho.)

— Pourquoi n'iriez-vous pas la consoler ? dis-je. Il n'est plus nécessaire de continuer votre surveillance.

— Très bien, monsieur, dit-il.

— Et enlevez donc ce masque. Tinkle Bell, il donne de l'écho à votre voix. Ça risque de lui faire peur.

50

Si jamais vous vous tirez d'un mauvais pas en abandonnant une partie de vos possessions personnelles, il se peut que vous éprouviez soudain le besoin urgent de récupérer certains objets que vous n'avez pas eu le temps d'emporter, par exemple un fluorimètre Locarte, pour lequel il faut huit mois de livraison. Eh bien ! ayez la sagesse de ne pas l'envoyer chercher. Car c'est ainsi que nous avons retrouvé da Cunha.

Je demandai à Alice une chemise en papier bulle, sur laquelle j'écrivis le mot « Ostra ». J'y mis les copies certifiées conformes de tout le courrier d'Ivor Butcher. J'ajoutai les six feuillets de sa déposition, je refis le nœud du dossier, et je rangeai le tout dans le tiroir supérieur de mon bureau. Je ne lui donnai pas de numéro. C'était ma propre contribution, encore secrète, à la sécurité de l'État. Je regardai la carte. La Ford qui emportait l'équipement de laboratoire de da Cunha se déplaçait vers le nord, comme si elle avait l'intention de traverser la frontière espagnole près de Badajoz.

Dawlish m'appela ce soir-là pour m'inviter à prendre un verre. Les problèmes administratifs du comité Strutton l'avaient tellement absorbé que je ne l'avais guère vu. Je savais qu'O'Brien essayait toujours de nous mettre des bâtons dans les roues. O'Brien, qui était célibataire, passait vingt-quatre heures sur vingt-quatre, pour ainsi dire, dans le bar du Traveller's Club. Ce qu'il dépensait en consommations, il le gagnait en influence. Il essayait de mettre des représentants du Foreign Office dans tous les sous-comités doués de pouvoirs exécutifs. Dawlish me dit que, lors de la séance à laquelle je n'avais pas assisté, il avait pris l'initiative de me proposer comme président du comité pour la formation du personnel. Je lui dis que je risquais de m'absenter pour plusieurs jours. Dawlish me répondit qu'il avait prévu cette éventualité. Il se moucha bruyamment, et m'adressa un sourire sec de derrière son mouchoir :

— C'est moi qui convoquerai le sous-comité, et vous me déléguerez vos pouvoirs. Aucune difficulté.

— Je vous remercie beaucoup, dis-je, et je bus à sa réussite.

Dawlish fit le tour de son bureau et se posta devant le radiateur à gaz qui flamboyait et crachait, comme toujours vers 5 heures.

— Avez-vous parlé au Conseiller scientifique du gouvernement de la théorie concernant la fonte de la glace ? demandai-je.

Dawlish poussa un soupir théâtral :

— Je n'ai jamais vu un homme aussi têtu que vous. Il est *impossible* de modifier la structure des molécules de telle façon que la glace se transforme en eau.

Nous nous regardâmes pendant un instant, puis il reprit :

— Eh bien ! soit, je vais me renseigner.

Il ferma les yeux, but son bordeaux, et s'appuya contre le mur comme un homme accablé.

— Keightley a téléphoné aujourd'hui. (Keightley était l'officier de liaison à Scotland Yard.) Vous ne pouvez pas maintenir Butcher en état d'arrestation si vous ne formulez pas d'accusation précise.

— Ce sera réglé en quelques jours, et Butcher ne se plaindra pas : c'est lui qui désire demeurer sous notre protection.

Dawlish observa :

— On me presse en haut lieu d'en terminer avec Alforreca.

— Écoutez, dis-je, ce n'est pas moi qui vous ai demandé de poursuivre officiellement l'enquête. Ne l'interrompez pas au moment où je suis sur le point d'aboutir.

Dawlish sortit un autre mouchoir de sa poche avec l'adresse imperturbable du prestidigitateur.

— Tout ce que je vous demande, c'est que cela ne se retourne pas contre moi. Je sais que vous n'êtes pas homme à faire des choses inconsidérées, mais n'oubliez pas l'histoire de cet homme qui, tombant du sommet de l'Empire State Building, dit en passant à un locataire du premier étage : jusqu'ici tout va bien.

Dawlish souriait d'un air neutre.

— Je vous remercie de ces paroles d'encouragement, dis-je.

Dawlish se dirigea vers le bar. Il dit sans se retourner :

— Il y a des choses contre lesquelles je dois sévir lorsque j'en ai connaissance. Pour le moment, je suis heureux de ne rien savoir. Mais si vous vous attirez des désagréments, je serai obligé de me montrer impitoyable à votre égard, et à l'égard de toute personne qui essaierait de vous protéger.

— Si nous prenions un autre verre, suggérai-je.

— C'est une bonne chose que vous aimiez le Tio Pepe, dit Dawlish avec remords.

Dawlish pensait que je retournais dans le pays d'où nous importons notre sherry.

51

La terre brune et nue du plateau de Castille entoure
Madrid comme le bord d'un chapeau. La partie nord
de la calotte de pierre s'est effondrée pour céder la
place au quartier des Cuatro Caminos, où des milliers
de *productores* vivent parmi les plâtras. Le long des
rues bordées de hautes maisons d'un rose tirant sur
le brun, il n'y a guère que les phalangistes à être en
bras de chemise. Les agents portent des ceinturons
d'un blanc éclatant et réglementent la circulation
d'autobus bleus à impériale. De très nombreux
soldats circulent, mais c'est à peine si l'on voit un
paysan. Yeux dans le vague, ceux que l'on aperçoit
rêvent à un passé lointain, comme s'ils attendaient
une procession qui n'en finit pas d'arriver.

Le café la Vega est le temple rutilant de l'*espresso*.
On entend un cliquetis incessant de tasses, scandé par
le sifflement de la vapeur, et des talons hauts claquent
sur le sol de marbre blanc. Un couple d'Américains,
d'âge mûr, réclamait du lait pasteurisé, et Félix le
Chat traversait d'un air conquérant l'écran de la télévision dans un pays où l'on va encore la voir au café.
Du Super Mercado, de l'autre côté de la rue, venait
un flot de néon écarlate, tandis qu'une publicité pour
le sherry courait en lettres lumineuses le long du toit.

J'étais assis près de la porte, d'où je pouvais voir la rue. Je commandai du chocolat chaud, et j'observai un homme chauve qui faisait briller une paire de chaussures bicolores. Je bus à petites gorgées le chocolat à la cannelle qui a rendu Madrid célèbre. La boîte du cireur de chaussures était ornée de clous de cuivre. À l'intérieur du couvercle étaient collées des photos de pin-up, et de vedettes de cinéma. L'homme, disparaissant à moitié au milieu des bouteilles, boîtes de cirage et chiffons, donna un dernier coup de polissoir sur le bout des chaussures. Une large main descendit vers lui, lui tendant un billet.

Un jeune officier, vêtu d'un uniforme gris immaculé, tout chamarré d'aiguillettes, tapa sur la sébile du cireur pour attirer l'attention. Ses bottes noires exigèrent un travail méticuleux. À 7 h 30, je consultai le menu. J'étais inquiet. Je me demandais s'il s'était produit un contretemps. C'est une chose qui arrive facilement en Espagne.

Le cireur s'agenouilla devant moi. Il glissa de petits bouts de papier dans ma chaussure pour empêcher que du cirage ne tache mes chaussettes. Lorsqu'il eut terminé son travail, il oublia un morceau de papier. J'aurais pu protester bruyamment ou taper sur sa sébile à la façon espagnole. Ou j'aurais pu arracher le papier et le jeter. Au lieu de cela, j'allai aux toilettes, et je le lus. On y avait inscrit : « Calle de Atocha, coin du Paseo del Prado, 8 h 10. » L'officier et l'homme aux chaussures bicolores avaient l'un et l'autre disparu lorsque je revins.

Le vent soufflait dans le Paseo del Prado, et la nuit, soudain, devint froide, comme cela se passe souvent à Madrid, dont le climat est capricieux. Une Chevrolet flambant neuf se dirigea droit sur moi comme le jour du Jugement, étincelante de phares, de clignotants, de chrome et d'émail. On eût dit un gâteau d'anniversaire arrosé de sauce à la groseille. Je me laissai tomber sur les coussins roses, la capote se rabattit, et nous nous dirigeâmes dans un ronronnement de moteur vers la rivière.

Des commères étaient assises sur le seuil de leur porte, et fixaient insolemment les faisceaux de nos phares. Le conducteur gara la voiture avec un soin méticuleux et éteignit les lumières. Il ouvrit une porte en fer forgé, et me conduisit au premier étage de la maison. Un homme se découpait dans le rectangle de lumière de la fenêtre. Il regardait le café d'en face avec une énorme paire de jumelles. Il me fit place.

De l'autre côté de la rue, les tables de marbre du bistrot étaient couvertes de verres de Valdepenas, et le sol de pierre parsemé d'épluchures de crevettes. Des hommes aux bottes sales fumaient, discutaient, buvaient, et criaient. Je portai à mes yeux les jumelles, et je les fixai sur la fenêtre qui se trouvait à côté du café. Des barreaux de fer la divisaient en rectangles. La scène qui se déroulait à l'intérieur de la pièce était clairement visible. Si la Chevrolet avait été garée d'une façon si minutieuse, c'était pour une bonne raison. La voiture, avec ses phares multiples, ses clignotants, ses feux de position, avait plus de facettes que l'œil d'une mouche. Maintenant, je me rendais compte qu'un des phares émettait un rayon infrarouge, et était resté allumé. À travers les jumelles infrarouges, je vis deux hommes en train de déballer des instruments scientifiques. Le sol était déjà couvert de paille et de papiers.

— Ils doivent avoir presque fini, dit mon compagnon. Ça fait près d'une heure qu'ils travaillent.

C'était Stewart, des services de renseignement de la Marine.

— Ils ne vont pas monter le matériel, dis-je. Ce n'est pas le genre de pièce qui convienne à l'établissement d'un laboratoire.

Je m'écartai pour que Stewart puisse reprendre son observation.

— Que voulez-vous que nous fassions ? interrogea-t-il.

— À qui appartient cette maison ? demandai-je.

— Nous y avons installé un des chauffeurs de l'ambassade depuis que l'équipement est arrivé là, expliqua-t-il en désignant la maison d'en face d'un mouvement de tête.

— Si le chauffeur a une femme, elle peut peut-être nous préparer du café, suggérai-je.

— Bien sûr, fit Stewart.

— Mieux vaut vous en occuper tout de suite, dis-je. Je crois que nous en avons pour un moment.

Après une vie passée à voyager, on est armé pour les moments d'inconfort. Une robe de chambre de bonne qualité peut servir de couverture, il existe des lits pliants qui ont la taille d'un parapluie, et des pantoufles que l'on peut glisser dans la poche de son manteau. J'étais pourvu de toutes ces choses, mais elles se trouvaient dans ma chambre d'hôtel.

Stewart et moi nous relayâmes d'heure en heure, et le chauffeur de l'ambassade prit une des voitures pour surveiller l'arrière de la maison, afin d'éviter toute surprise. En réalité, je ne sais pas ce qu'il aurait pu faire si les deux hommes étaient repartis par là, mais il était à son poste.

À 3 h 30 du matin, Stewart me réveilla.

— Il y a une camionnette arrêtée dehors, dit-il.

Lorsque je pris les jumelles, les hommes étaient en train d'y charger le fluorimètre.

— Avez-vous un revolver ? demandai-je à Stewart.

— Non, monsieur, dit-il.

Je n'avais pas envisagé la possibilité que da Cunha fasse transporter son équipement ailleurs. Je m'attendais à son arrivée. La camionnette s'affaissa légèrement sous le poids des instruments. Les trois hommes verrouillèrent la portière arrière et, montant dans la cabine, ils démarrèrent. Nous les suivîmes. Nous ne tardâmes pas à arriver à l'aéroport.

Lorsque la première lueur de l'aube illumina cette nuit blanche, un petit avion de tourisme Cessna mit le cap au sud-sud-ouest et s'élança allègrement vers l'horizon.

Cessna : je repensai à la fiche de Smith. Il fallait que ce soit un Cessna. Nous demeurâmes à contempler le goudron de la piste, car aucun des trois avions de tourisme disponibles n'avait de pilote. Stewart tambourina en vain sur les bureaux cadenassés, en maudissant le personnel de l'aéroport. Mais tout cela ne nous rapprochait pas de l'équipement de da Cunha, qui voguait à trois mille pieds et grimpait encore. Il était 7 h 20 du matin, et nous étions le 15 décembre.

52

— Vous rendez-vous compte de l'heure qu'il est ?

Un homme chauve, bedonnant, dans une robe de chambre élimée, me barrait le chemin, m'apostrophant avec véhémence.

— Écarte-toi, mon gros, dis-je, nous n'avons pas de temps à perdre en simagrées.

Stewart me suivit à travers le hall vide, où nos pas résonnaient longuement :

— Allez réveiller l'ambassadeur, dis-je. Je suis investi de pouvoirs spéciaux par le gouvernement, et je dois le voir immédiatement, c'est-à-dire dans une demi-heure au plus tard.

— Qui dois-je annoncer, monsieur ? demanda le valet de chambre d'un ton hargneux, mais manifestement impressionné.

J'écrivis WOOC (P) en ajoutant : « Les minutes sont précieuses », sur un bout d'enveloppe, et j'attendis pendant qu'il montait à l'étage supérieur. Je lui criai :

— Réveillez par la même occasion l'officier du chiffre. Il faut qu'il soit à sa radio dans trois minutes.

Stewart souffrait manifestement de la façon dont je traitais le personnel d'ambassade. La vue de Son Excellence en robe de chambre était presque plus qu'il n'en pouvait supporter.

Gibraltar répondit à notre signal avec une promptitude louable, et je parlai rapidement au microphone.

Mon correspondant fut très impressionné par le style roman d'espionnage dans lequel je lui communiquai mes desiderata.

— Je vais envoyer un officier au radar, proposa l'officier qu'on était allé chercher.

— Non, dis-je, je ne peux pas risquer que le travail soit bousillé par excès de zèle. Laissez-moi parler à l'opérateur habituel.

Cela jeta un certain froid, mais on me mit en liaison avec le caporal chargé du radar. Il était 8 h 15.

— L'avion a décollé il y a une heure environ, caporal, dis-je. À supposer qu'il vole à 150 milles par heure, et qu'il ait gardé son cap sud-sud-ouest, il devrait être à mi-chemin entre nous. Voyez-vous quelque chose ?

Il y eut un long silence pendant que le caporal, installé quelque part dans un creux du rocher de Gibraltar, surveillait son tube cathodique.

— Voyez-vous quelque chose ? répétai-je.

J'avais peur que le Cessna n'ait changé de route et déjà atterri.

— C'est la zone de contrôle de Séville qui me gêne, monsieur. Il y a des tas d'avions qui circulent, et Séville se trouve sur le trajet que vous m'indiquez. Si votre avion est mêlé à cette circulation aérienne je ne suis pas sûr de pouvoir le reconnaître avant qu'il atterrisse.

Le haut-parleur rendait sa voix chevrotante.

— Vous pourriez peut-être chercher plus loin, suggérai-je. Cherchez au nord de Cordoue, au-dessus de la sierra Morena, et peut-être même du côté d'Almaden.

L'ambassadeur s'était coiffé. Il m'offrit une tasse de café, et je posai la carte et le microphone. Nous attendîmes tous que le caporal fît son travail. De temps à autre, il disait d'une voix dolente :

— Je cherche toujours.

— Que ferez-vous si vous ne le retrouvez pas ? demanda l'ambassadeur à Stewart.

— Demandez cela à mon supérieur, Excellence, dit Stewart. Je ne suis que l'assistant.

Je laissai cette phrase faire son impression, puis je dis :

— Je demanderai qu'on prenne des radars aéroportés, et j'enverrai un chasseur à réaction inspecter tous les aéroports d'Espagne jusqu'à ce qu'on le retrouve.

L'ambassadeur essuya sa moustache tachée de café et remarqua :

— On ne vous accordera pas ça sans explications, vous savez.

— Je suis sûr que vous tirerez admirablement des explications, dis-je poliment.

— Ça y est, je l'ai !

Le haut-parleur vibra tandis que l'opérateur du radar détectait un point d'aiguille parmi une multitude d'autres points, et jubilait.

— Êtes-vous sûr que c'est le bon ? demandai-je.

— Presque sûr, monsieur. C'est un avion à un moteur, assez grand. Un peu moins de quarante pieds d'envergure. C'est une approximation bien entendu. L'avion ne se trouve pas sur une route commerciale, et ne suit pas les trajets habituels des avions de tourisme.

— Vous voulez dire qu'il ne se trouve pas sur un trajet reliant deux aéroports ?

— Sûrement pas, monsieur. Il se dirige droit vers la côte, cap bloqué…

— Vous voulez dire, en pilotage automatique ? Mais cela ne signifie-t-il pas que votre point est plutôt un avion de ligne ?

— Non, monsieur. Même les monoplaces ont quelquefois un dispositif de pilotage automatique.

— Et que va-t-il faire, à votre avis ?

— Eh bien ! comme je vous l'ai dit, il se dirige droit vers la côte. Sitôt qu'il l'atteindra, il la suivra probablement jusqu'à Malaga. À ce moment-là, le pilote, après avoir déterminé la vitesse et la direction du vent en fonction de la dérive, rectifiera son cap. Il n'a rien pour le guider, probablement.

— Traversera-t-il la côte à Malaga ?

— Un peu à l'est.

— Veuillez me passer le colonel, caporal.

La voix du caporal s'éclaircit de plaisir lorsqu'il dit :

— Tout de suite, monsieur.

Je suppose que faire venir le colonel était pour lui un événement.

— Examinez cet avion d'aussi près que possible, mon colonel, dis-je aussi calmement que je le pus.

Je sentis son hésitation, puis il capitula à moitié :

— Nous serons au-dessus des eaux territoriales espagnoles, mais si sir Hubert pense que nous pouvons…

— Sir Hubert pense que vous pouvez, dis-je. Je veux des chasseurs rapides équipés de radars d'interception… Est-ce possible ?

— Eh bien ! je ne sais pas. Voyez-vous, mes ordres m'interdisent…

— Je veux que ces avions aient gagné la côte lorsque le Cessna y arrivera, dis-je d'un ton sans réplique. Arrangez une liaison radio pour que je puisse parler à l'équipage et rester en contact avec le radar au sol…

L'ambassadeur m'adressa l'ombre d'un sourire, et haussa les sourcils pour me signifier une offre d'appui. Je secouai la tête. L'ambassadeur et moi, nous nous regardâmes pendant que le colonel délibérait, nous demandant s'il se laisserait ou non intimider par mon déploiement d'autorité. Finalement, il y eut un déclic dans le haut-parleur, et un tumulte de voix, puis le silence. Ensuite, nous entendîmes :

— Mission 58, identifiez un objectif. Position actuelle Juliet Juliet cinq, zéro, zéro, deux, niveau de vol 120, cap 190, vitesse probable 130. Montée sur vecteur 040, niveau de vol 150. Interception 100 miles…

Nous écoutâmes les chasseurs se rapprocher du Cessna.

Puis soudain nous entendîmes le signal annonçant que l'avion était repéré. Le pilote me donna son numéro d'immatriculation, qui correspondait à celui de l'avion qui avait décollé de Madrid. L'avion de Smith. Il était 9 h 5. Aussitôt l'identification faite, les chasseurs retournèrent au North Front Airport. Le radar continuait à suivre le Cessna. Je dis au colonel d'envoyer un avion à Madrid pour me conduire où le Cessna atterrirait.

L'ambassadeur, entre-temps, m'invita à partager son petit-déjeuner.

53

Marrakech est blottie au pied de l'Atlas, enroulée dans son ombre comme un cobra entre les plis d'une couverture. La seconde moitié de décembre y marque la pleine saison. Les touristes viennent en foule se démolir le foie dans les bars des grands palaces blancs, et se casser les jambes sur les pentes du Moyen Atlas. Les appels du muezzin, ricochant au long des ruelles, percent de leur vibration aiguë les bosquets d'orangers et de citronniers et les palmeraies qui entourent l'enceinte poussiéreuse de la ville. Des treillis tamisent la lumière du soleil, ne laissant filtrer que des rayons isolés qui jouent sur la boue séchée, en dessins étincelants. La fumée des feux donne aux faisceaux lumineux une densité presque tangible. Des rognons cuisent sur des foyers alimentés de bois de cèdre, dont l'arôme se mêle à l'odeur du mouton. Des Berbères au teint pâle, des hommes de Fez au visage haut en couleur, des hommes bleus et noirs de Tombouctou et des régions plus lointaines du Sud, se croisent dans les rues étroites.

La foule s'écarta lorsque la Land Rover blanche s'arrêta devant la porte de l'hôtel. Sur la portière était marqué le mot « police ».

Aussitôt que le domestique eut annoncé : « Un monsieur vous demande », on l'écarta sans cérémonie, avec une volée de jurons en arabe.

Trois hommes firent irruption dans la pièce. Deux d'entre eux portaient des uniformes kaki et des casquettes blanches, des ceinturons et des gants à manchettes. Le troisième était vêtu d'un complet blanc et son visage mince, pointu, bronzé, était surmonté d'un fez rouge perché de guingois sur sa tête. Il avait une moustache chétive mais bien soignée, et un nez s'enfonçant comme une énorme cheville entre deux petits yeux perçants. Il se grattait le nez avec le pommeau d'argent de sa canne. On eût dit un acteur de composition. Ce fut lui qui m'adressa la parole :

— Baix, de la Sûreté nationale. Permettez-moi de vous souhaiter la bienvenue dans notre beau pays. Les oranges commencent à mûrir sur les arbres, les dattes sont succulentes, et la neige est ferme et poudreuse sur nos montagnes. Nous espérons que vous resterez parmi nous assez longtemps pour jouir de tous ces agréments.

— Oui, dis-je.

Je surveillais ces deux policiers. L'un d'eux souleva la moustiquaire et cracha dans la rue. L'autre examinait tranquillement mes papiers, que j'avais posés sur la table.

— Vous êtes ici pour une enquête. Vous serez l'invité de mon service. Quelque désir que vous exprimiez, nous nous efforcerons de le satisfaire. J'espère que votre séjour sera agréable.

— Vous savez ce qu'est le capitalisme : le travail ne vous laisse pas un instant de repos.

— Le système capitaliste est ce que nous avons mission de protéger, dit Baix, pendant qu'un des policiers fouillait l'armoire, et que l'autre nettoyait ses bottes avec un mouchoir. Au-dessus de nous, j'entendis le sifflement d'un MIG 17 de l'armée de l'air marocaine.

— En effet, dis-je.

— Dans toute enquête sur le trafic des narcotiques, nous sommes heureux lorsque le criminel est arrêté.

— Je vous comprends.

— Vous avez l'intention d'arrêter des personnes ici, à Marrakech ?

— Je ne le pense pas, mais il y a quelques personnes qui pourraient m'aider dans mon enquête.

— Ah ! la fameuse discrétion britannique, dit Baix. (Il avait arrêté de jouer avec sa canne, et se pencha vers moi :) Avant de faire une arrestation – j'espère que cela ne se produira pas – il faut m'en parler, parce que ce n'est peut-être pas permis.

— Je vous en parlerai, dis-je. Mais je suis employé par l'Organisation mondiale de la santé et par les Nations unies. Ces organisations pourraient s'offusquer d'un refus.

Baix s'assombrit :

— Il faudra nous consulter.

— D'accord, dis-je.

— Entre-temps, je suis allé chercher votre ami à la gare. Votre collègue, M. Austin Butterworth.

Baix cria quelque chose en arabe, et l'un des policiers tira son revolver. Baix cria plus fort, usant de quelques mots anglo-saxons malsonnants. Le policier rengaina son arme avec une expression de honte, et descendit pour aller chercher Ossie dans la Land Rover.

— Votre ami est un spécialiste de la lutte contre la contrebande des narcotiques?

— Oui, dis-je.

— Il me semblait que son visage m'était connu.

Ossie franchit le seuil de la porte. Il portait une gigantesque chemise coloniale acquise dans un magasin de surplus, un panama et des pantalons avec des rabats de trente pouces.

— Je vous laisse à votre mission, dit Baix.

— Qu'Allah vous protège! répondis-je.

Et la Land Rover repartit en klaxonnant.

54

Comme Baix l'avait dit, Marrakech est un pays de cocagne. Les jours passèrent trop vite tandis que je dressais mes plans, observant et calculant. Nous allions au marché manger des rognons sautés, enveloppés de gros pain, en avalant la fumée de bois. Nous allions dans les cafés boire du thé à la menthe, et nous nous cachions dans l'arrière-salle pour boire de la bière afin de ne pas offenser les croyants. Ossie dessinait les plans d'une maison arabe, et moi je lui donnais des instructions fondées sur mes maigres connaissances de radiophonie.

Le troisième jour, j'allai voir Herr Knobel.

Ce n'était ni un mauvais garçon heureux de vivre comme Harry Kondit, ni un fanatique mélancolique du genre de Fernie Tomas. C'était un homme qui avait un esprit particulier, et les réactions de ce genre d'individus sont imprévisibles.

Knobel était le véritable nom de da Cunha. Il vivait dans la vieille ville. La rue avait cinq pieds de large. La porte masquait jusqu'à mi-hauteur la cour qui s'étendait au-delà du grand mur blanc. À l'intérieur, des grilles de fer forgé projetaient des ombres chinoises sur les dalles tièdes. Un petit oiseau jaune, tout en haut du mur, lançait des trilles, disant combien il eût aimé s'échapper de sa cage dorée. Une cage dorée, me dis-je. Un piège, pour le prisonnier qui a tout.

Da Cunha était installé sur un tapis ancien, et lisait un journal madrilène. D'autres tapis pendaient au mur et, derrière lui, les carreaux de céramique aux couleurs vives étaient ornés de caractères arabes. De place en place, il y avait des coussins de cuir, et au-delà d'un porche sombre, tout juste visible au bout d'un couloir, je voyais la fraîcheur verte d'un patio. Les feuilles des arbres se transformaient en minuscules sabres d'argent lorsque le vent les agitait au soleil.

Da Cunha se tenait au milieu de la pièce. Il me parut changé, plus gras. En réalité, il n'était ni l'un ni l'autre. Quand je l'avais vu, il s'efforçait de ressembler à un aristocrate portugais, mince et ascétique. Maintenant, il ne s'en donnait plus la peine.

— Vous faites une enquête, me disiez-vous dans votre lettre, remarqua-t-il, d'une voix de gorge sonore, un peu pâteuse. Une enquête à propos de quoi ?

— De la contrebande de narcotiques à Albufeira, lui dis-je.

Il rit grossièrement, avec mépris, du rire de l'homme que la fortune rend invulnérable :

— Ainsi, c'est cela, dit-il.

Ses yeux s'agitaient derrière ses lunettes comme les bulles d'un verre de champagne.

— J'ai l'intention de vous y impliquer, dis-je.

— Vous n'oseriez pas !

Ce fut mon tour de rire :

— C'est une réplique que d'autres avant vous ont rendue célèbre.

Il haussa les épaules :

— Je sais qu'on ne peut rien prouver contre moi.

Par-dessus l'épaule de da Cunha, je voyais la fenêtre de l'autre côté du patio. L'oiseau jaune chantait toujours. Je vis un pied apparaître par-dessus le bord du toit plat, et s'agiter, à la recherche d'un point d'appui.

— C'est moi qui vous ai aidé, reprit da Cunha. J'ai dit au VNV de prendre contact avec vous. Je vous ai donné la matrice à souverains. Vous ne pouvez pas le nier.

— C'est Smith qui vous l'avait suggéré ? demandai-je.

Da Cunha haussa les épaules :

— C'est un imbécile. Il n'a pas voulu me laisser faire. Il fallait qu'il se mêle de tout.

— Je sais, dis-je. Me trouveriez-vous mal élevé si je vous demandais un peu de café ? Je l'adore.

Da Cunha se rendit aussitôt à mon désir.

— Mes amis, ici, ont beaucoup d'influence, reprit-il.

— Vous voulez dire, Baix, ripostai-je.

Un jeune garçon apporta une grande cuvette en cuivre et une bouilloire. Il plaça la cuvette à mes pieds et versa de l'eau sur mes mains. C'est une coutume musulmane avant d'absorber de la nourriture. J'espérais que le domestique ne se tournerait pas vers da Cunha trop vite, et je lavai mes mains aussi lentement que je le pus. La silhouette que j'avais aperçue sur le toit était maintenant suspendue des deux mains à la balustrade.

— Baix est venu me voir il y a quelques jours, dis-je, essayant de ne pas regarder par la fenêtre.

Les pieds venaient de descendre de quelques pouces.

— Je lui ai expliqué que j'avais les pleins pouvoirs de l'Organisation mondiale de la santé, dis-je. Il y a peu de gouvernements qui s'opposeraient à une mission exécutée sous l'autorité de cette organisation.

Les pieds cherchaient en tâtonnant la barre d'appui de la fenêtre du dernier étage. Ils la touchèrent enfin.

— Vraiment ? dit da Cunha, sceptique.

Je voyais la chemise coloniale claquer au vent.

— Je vous assure, répétai-je.

Par quel miracle ne voyaient-ils pas Ossie ?

— La santé est une chose importante, déclarai-je.

Da Cunha sourit. Je m'essuyai les mains en voyant Ossie disparaître à travers la fenêtre. Le jeune garçon apporta la cuvette à da Cunha.

— Vous êtes un homme très intelligent, dis-je à da Cunha. Vous saviez sûrement ce qui se passait à Albufeira.

Da Cunha acquiesça.

— Dites-moi rapidement ce que vous pensiez de Harry Kondit et de Fernandes Tomas.

Da Cunha enleva ses lunettes d'or, dégageant les branches qui s'étaient emmêlées dans ses cheveux blancs :

— Kondit était un homme assez spirituel, bien que trop conscient de ses avantages physiques. Néanmoins il avait un certain charme naturel, à sa façon fruste et impudente.

— Et son affaire de contrebande ?

— Fort bien menée, dit da Cunha aussitôt. (Il fit une pause puis reprit :) Il respectait ce que je suppose être les règles fondamentales du trafic des narcotiques.

— Des règles, répétai-je. Lesquelles ?

— Les pays ont une attitude ambiguë à l'égard des narcotiques, dit da Cunha. Peu de polices arrêteront les gens qui achètent des narcotiques dans un pays pour les exporter. Les règles sont donc : ne pas vendre dans le pays où l'on achète, ne pas raffiner dans le pays où l'on vend, et ne jamais vendre dans le pays dont on est citoyen.

— Et comme homme, qu'en pensez-vous ?

— C'était un idéaliste aigri, dit da Cunha. Si l'on veut être un idéaliste, mieux vaut ne pas naître en Amérique. Les hommes comme Kondit se comportent toute leur vie comme des criminels, tout en se racontant qu'ils sont persécutés en raison de leurs convictions.

— Et Tomas ? demandai-je.

Da Cunha sourit :

— Je serais tenté de dire que des hommes comme Tomas se comportent toute leur vie comme des idéalistes, et sont persécutés comme des criminels. Mais ce ne serait pas tout à fait vrai. Tomas a été constamment la victime de son milieu. Il n'était ni bon ni mauvais. Ses malheurs ont toujours été dus au fait qu'il était prêt à écouter le point de vue adverse. Ce n'est pas une faute grave, à mon avis.

J'acquiesçai.

Da Cunha reprit :

— Maintenant, vous voulez sans doute savoir pourquoi je n'ai rien fait pour empêcher ces deux hommes de se livrer à leur activité criminelle. C'est pourquoi vous m'avez suivi, ou plutôt, suivi mon équipement de laboratoire.

Je hochai la tête.

— C'est arrivé si vite, expliqua da Cunha, et personne ne paraissait s'en soucier… Il y a un vieux proverbe espagnol qui dit : « Offrez un pont d'or à l'ennemi qui s'enfuit. »

Je saluai la citation au passage.

— Je savais que mon silence comportait un certain risque, dit da Cunha. (Il haussa les épaules.) Mais je ne pouvais pas travailler sans drogue. Que voulez-vous en réalité ? La *Weisse Liste* ?

— Je n'en sais rien, dis-je. Est-ce important ? (Au bout d'un instant de silence, j'ajoutai :) Vous, en tant que savant, vous savez que vous entreprenez une expérience pour trouver un coefficient d'expansion, et que cela se termine par la domination du monde.

— Certains d'entre nous, dit da Cunha, préfèrent le coefficient d'expansion.

— Londres a toujours été très intéressé par vos travaux sur la fonte de la glace, fis-je.

Les yeux de da Cunha s'illuminèrent, mais il ne dit rien.

— La fonte de la glace, répétai-je… (Je dépliai un message de Londres.) Je leur ai envoyé des photos de votre laboratoire. Ce message dit… bla, bla… ah ! voilà : « Lorsque la structure moléculaire de l'eau s'effectue selon un réseau régulier, le résultat produit de la glace. Inversement, si le réseau des molécules de la glace peut être modifié, elle se métamorphose instantanément en eau, sans délai de fusion. Étant donné qu'aujourd'hui les États-Unis et l'URSS ont d'importantes flottes de sous-marins porteurs de missiles et sont incapables d'envoyer aucun de ces missiles à travers une couche de glace si mince soit-elle, l'avantage d'une méthode qui permettrait de faire une brèche dans la glace (techniquement appelée polynya) est manifeste. Les travaux du professeur Knobel sont d'une importance vitale pour le Monde libre et le contrôle de l'Arctique. »

Je repliai le papier et je le remis dans mon portefeuille, en prenant grand soin de ne pas lui laisser voir le message.

— Vous allez droit au but, dit da Cunha avec un sourire satisfait. Les aspects militaires de mes travaux ne m'intéressent pas, ajouta-t-il. Tout ce que je désire, c'est qu'on me laisse en paix. On permet à un peintre de se retirer dans une partie éloignée du monde pour peindre, pourquoi ne disparaîtrais-je pas dans une partie éloignée du monde pour y poursuivre mes recherches ?

— Le propriétaire d'une fabrique de couteaux à cran d'arrêt pourrait dire la même chose, protestai-je.

Le domestique avait apporté un plat de gâteaux aux amandes fourrés de sucre. Nous nous mîmes à mâcher de bon appétit. Je me demandai comment j'allais engager la seconde partie de la conversation tout en laissant à Ossie le temps de s'éclipser.

Da Cunha se pencha vers moi :

— Mes travaux n'ont aucun intérêt du point de vue militaire, et n'en ont jamais eu, déclara-t-il.

— J'ai entendu dire qu'il y avait eu un projet de geler une section de la Manche en 1940 pour permettre le passage des troupes, dis-je.

— C'était sans intérêt, répéta da Cunha.

— J'étais de l'autre côté de la Manche, protestai-je, et je vous assure qu'à mes yeux il était important qu'elle restât liquide.

— Je voulais dire que c'est une chose impossible à réaliser. La théorie était juste, mais les difficultés pratiques sont insurmontables. Mais en 1945, j'avais suffisamment progressé dans mes recherches pour résoudre le problème sur le plan scientifique. (Da Cunha grignota un gâteau au miel.) Mais en 1945, il était trop tard. L'armée s'était désintégrée. Il ne restait plus qu'à attendre.

— Attendre quoi ? demandai-je.

— La renaissance de la classe moyenne, dit-il.

Il avala un excès de salive et me tapa sur le torse, du doigt :

— Vous avez fait un long voyage pour venir me voir. J'en suis flatté. On m'a dit que vous occupiez un poste important dans les services publics de votre pays. Que vous veniez avec de bonnes intentions à mon égard, ou avec des menaces, ne change rien à l'honneur que vous me faites. Je vais vous donner un conseil à transmettre à votre gouvernement : qu'il ne détruise pas les classes moyennes !

Je m'imaginai en train de pénétrer dans le bureau de Dawlish, et de lui dire : « Faites savoir au gouvernement que nous ne devons pas détruire les classes moyennes. » Je regardai da Cunha et je dis :

— Je transmettrai votre message.

— Les Alliés, poursuivit fébrilement da Cunha, ont détruit les classes moyennes en Allemagne après la guerre.

Je me rendis compte qu'il parlait de la Première Guerre mondiale.

— L'inflation a détruit l'épargne d'un jour à l'autre, et poussé les classes moyennes dans les bras des nazis. Que leur restait-il d'autre ? Le plan Dawes avait accordé à l'Allemagne un prêt de deux milliards de dollars. Mais ces dollars n'ont pas servi à aider les classes moyennes, les gens qui pilotaient les Spitfires en 1940. Krupp a reçu dix millions de dollars, Thyssen douze. Autrement dit, on a financé Hitler.

Les industriels et les banquiers se sont enrichis, et les classes moyennes ont disparu dans le chaos politique. Maintenant, nous resurgissons. La nouvelle Europe est une Europe des classes moyennes. Une Europe gouvernée par des gens de goût et non pas par des syndicalistes parvenus, ni des démagogues faisant appel à la racaille pour s'imposer par la terreur. L'Europe future sera une Europe dirigée par des gens cultivés, bien élevés, raffinés.

Les yeux de da Cunha étaient fixés sur quelque chose derrière moi. Je n'osai pas me retourner. Ses doigts nerveux, osseux, s'enfonçaient dans mon bras. De la salive perlait à ses lèvres :

— Vous prétendez que je suis un fasciste…

— Non, fis-je nerveusement. Je n'ai rien dit de la sorte.

Il n'avait pas écouté ma réponse.

— Il se peut que je le sois, cria-t-il. Il se peut que je sois un fasciste. Si le mouvement Jeune Europe est fasciste, je suis fier de l'être.

Le domestique se tenait sur le seuil de la porte, dans une attitude d'expectative. Il me parut soudain beaucoup moins jeune. En fait, c'était un gaillard musclé d'un mètre quatre-vingts.

— Arrêtez-le, cria da Cunha. (Il secoua mon bras, avec une telle frénésie qu'il me fit perdre l'équilibre.) Arrêtez-le, et emmenez-le à la cave. Administrez-lui six coups de fouet. Je vais montrer à ces bandits réactionnaires qui protègent le Juif Kondit ce que j'entends par discipline.

Il écumait.

Je dis doucement :

— Un homme comme vous n'emprisonne pas l'envoyé d'un gouvernement.

Da Cunha se redressa d'un air majestueux.

— Vous m'avez confié un message pour mon gouvernement, lui rappelai-je.

Il me regarda sans me voir pendant un moment, puis, graduellement, reprit conscience de la réalité.

— C'est uniquement parce que vous êtes l'envoyé d'un gouvernement étranger que je vous laisse la vie sauve.

Il parlait d'un ton plus calme maintenant. Mon regard croisa celui du domestique et je le vis faire un léger mouvement qui pouvait passer pour un haussement d'épaules.

— Je porterai votre message à l'Angleterre, dis-je aussi solennellement que si nous étions en train d'interpréter un mélodrame historique.

Puis da Cunha et moi nous serrâmes la main avec autant de gravité que si l'un de nous deux s'apprêtait à monter dans un vaisseau spatial.

— Pourriez-vous me laisser le message que votre bureau de Londres a envoyé? demanda-t-il.

— En ce qui concerne la restructuration moléculaire de l'eau? Non, j'en ai peur. Il est strictement confidentiel, et je n'aurais pas dû l'apporter ici.

— Je vous comprends. Quel était le texte de la dernière phrase?

— Je m'en souviens, dis-je. C'était: « Les travaux du professeur Knobel sont d'une importance vitale pour la lutte antibolchevique dans l'Arctique. »

— Quand vous aurez mon âge, dit-il, vous verrez que ces satisfactions d'amour-propre sont une grande consolation de l'âme.

— Je vous comprends, répliquai-je.

Et cela venait du cœur.

55

— Merveilleux, proclama Ossie. Absolument délicieux !

Et c'était vrai. Les beignets à la confiture du buffet de la gare de Marrakech sont parmi les meilleurs que j'aie jamais mangés.

— Vous l'avez ? demandai-je.

— Oui, dit Ossie en tapotant le sac de toile qu'il avait posé sur la table. Ça a marché comme sur des roulettes. Tout était conforme à vos prévisions. Ce coffre-fort était un jouet d'enfant. On devrait mettre le fabricant en prison.

— Vous avez envoyé le message ?

— Oui. J'ai télégraphié : « Phase 1 terminée. Commençons phase 2. Éliminez Baker. » Ils m'en ont accusé réception. Vous pensez, demanda-t-il en souriant, que Baix croira que Baker le désigne, lui, lorsqu'il lira le télégramme ?

— À moins qu'il ne soit encore plus bête que je ne le crois. J'ai utilisé la forme de code la plus simple.

Ossie se mit à rire. Il avait pris Baix en aversion, et se réjouissait à l'idée qu'il puisse consacrer tous ses efforts à éviter un assassin fictif.

— Et vous, comment cela s'est-il passé ? Vous regardez sans cesse votre montre. Vous n'avez pas été suivi, j'espère ? demanda-t-il.

— Non. Le train arrive dans cinq minutes, c'est tout.

— Il n'arrivera pas plus vite si vous regardez votre montre. Parlez-moi plutôt de l'entretien que vous avez eu avec le vieux cinglé. Et mangez un autre beignet. Vous êtes bien sûr de n'avoir pas été suivi ?

— Tout à fait sûr.

Je pris un autre beignet et je racontai à Ossie ma conversation avec da Cunha.

— Mais ce n'est pas vrai, protesta Ossie à divers endroits de mon récit.

— Si vous avez l'intention de dire « ce n'est pas vrai » à chaque fois que je dis quelque chose qui n'est pas vrai, vous feriez mieux d'aller vous gargariser tout de suite parce que vous allez être enroué.

— Vous êtes le menteur le plus astucieux que je connaisse, dit Ossie avec admiration. Ainsi, ce vieux salaud est en relation avec les fascistes anglais.

— Avec les fascistes anglais, français, belges et même allemands.

— Non, il y en a même en Allemagne ? dit Ossie, comme si ses gros doigts n'avaient pas passé un quart de siècle à manipuler des documents confidentiels. Et ce message de Londres que vous avez inventé… C'était drôlement habile. Que disait le véritable message ?

Je lui tendis le câble que Dawlish m'avait envoyé.

KNOBEL STOP NAZI STOP FUMISTE STOP DÉCOUVERTE TRANSFORMATION EAU EN GLACE RADICALEMENT IRRÉVOCABLEMENT JE RÉPÈTE RADICALEMENT IRRÉVOCABLEMENT

DISCREDITÉE JE RÉPÈTE RADICALEMENT
SIGNÉ DAWLISH.

Le long train vert vint se ranger au bord du quai.
J'aidai Ossie à porter nos bagages.

Un homme, dont le visage faisait penser à une
barre de chocolat à moitié rongée, nous réclama de
l'argent pour nous avoir trouvé deux places libres
dans le train presque vide. Lorsque je refusai de jouer
mon rôle dans cette transaction, il m'enseigna tout un
chapelet de jurons arabes. Le train s'ébranla. Ossie
me dit :

— Dommage qu'on ne puisse pas voir la tête de
Baix.

— C'est précisément ce que j'ai essayé d'éviter,
protestai-je.

Nous ouvrîmes le sac de toile d'Ossie et nous
regardâmes le petit poste émetteur capable de
rappeler des bouées du fond de la mer.

56

Les pales de l'hélice brassaient l'air au-dessus de nos têtes. Je tapai sur le bras du pilote :

— Encore un tour, puis nous revenons au bateau, et nous recommencerons demain.

Nous descendîmes vers la mer. Je surveillais les crêtes des vagues, écrasées par le souffle de l'hélicoptère.

— Prêt à plonger ? criai-je au premier-maître Edwardes, de l'arsenal Vernon, qui se penchait à la porte et regardait la surface de l'océan.

— Reculez un peu, cria Edwardes.

C'était une plaisanterie classique à bord des bombardiers, mais cette fois-ci, le pilote fit docilement reculer son hélicoptère.

— Ce n'est qu'un morceau de bois, dit Edwardes, déçu.

Nous passâmes dans l'autre section de la zone de recherche. À douze milles tribord, je voyais la côte portugaise et le cap Santa Maria. La mer grise était parcourue de longues lignes noires de plus en plus larges au fur et à mesure que la lumière baissait.

— Il fait trop sombre, dis-je. Il faut revenir demain.

Ossie éteignit sa radio, et la cabine fut plongée dans la lumière verte du tableau de bord.

Il nous fallut deux jours et demi avant de réussir. Il y eut encore beaucoup de « reculez un peu » provoqués par des bouts d'épaves méconnaissables, ou des bancs de poissons.

Lorsque nous réussîmes enfin à établir le contact, l'émetteur à ondes longues qu'Ossie tenait sur ses genoux – après l'avoir volé dans le coffre-fort de da Cunha – émit un « bip, bip » de réponse. Le pilote stabilisa son hélicoptère sur place. Les vagues n'étaient qu'à quelques centimètres de nous.

« Bip, bip », la bouée signalait sa présence. Ossie hurlait dans son microphone. Je saisis le bras couvert de caoutchouc du plongeur et j'essayai rapidement de lui répéter toutes mes instructions. Edwardes me tapota la main d'un geste rassurant et dit :

— Ne vous inquiétez pas, monsieur. Tout ira très bien.

Puis, comme quelque divinité mythologique, il s'engloutit dans la mer, avec un grand éclaboussement d'eau. Je découvris seulement à cet instant l'objectif vers lequel il plongeait. Une bouée en métal dont le reflet argenté luisait parmi les vagues et la végétation marine. En dix minutes, le premier-maître Edwardes avait fixé une cale autour du cylindre de métal. L'homme chargé de la manipulation du treuil commença à le hisser, et nous le vîmes bientôt s'affaler, ruisselant d'eau, à l'intérieur de l'hélicoptère.

Dawlish avait bien fait son travail. Lorsque l'hélicoptère nous ramena à bord du bateau, tout était prêt et nous attendait, même une ration de rhum pour Edwardes, encore trempé. J'étais installé dans le bureau du capitaine avec le cylindre. Une sentinelle montait la garde à la porte et le capitaine lui-même frappa avant d'entrer pour me demander si j'avais besoin d'autre chose.

Il fallut cisailler deux boulons, mais cela n'avait rien d'étonnant, si l'on considère que l'appareil avait séjourné plus de dix ans dans l'eau. Le couvercle de métal se défit enfin, révélant le compartiment qui contenait normalement le baromètre, l'hygromètre, le thermomètre, les moteurs. C'était ce matériel qui avait permis aux météorologistes allemands, pendant la guerre, d'obtenir des informations sur les conditions atmosphériques en divers points où il eût été dangereux d'envoyer des bateaux et des avions. Le cylindre avait eu une autre mission après la guerre. Da Cunha, ou plutôt Knobel, avait donné ordre d'y déposer ce qu'il avait de plus précieux.

Toutes les douze heures, le cylindre de métal était revenu à la surface, et sa voix avait prévenu da Cunha qu'il était encore en vie, et se portait bien. Fernie Tomas avait essayé de repérer la bouée grâce au bruit du signal, mais elle était redescendue au fond de la mer avant qu'il l'eût trouvée. Kondit savait que son bateau effectuait un voyage de douze milles, chaque fois que da Cunha l'empruntait. « Au long de la côte », avait-il dit, comme s'il pensait être le seul homme qui donnait des rendez-vous au large.

Dans le compartiment où se trouvaient autrefois les instruments météorologiques, je découvris une boîte de métal, scellée de cire rouge et frappée de l'aigle nazi. Avant de l'ouvrir, j'envoyai chercher une tasse de café et des sandwiches. La tâche serait longue.

57

Cher Baron,

Quelle bonne surprise d'avoir de vos nouvelles. Votre lettre a mis près de neuf semaines à nous parvenir. Je ne m'étonne pas que vous vous demandiez quel est notre état d'esprit en Angleterre. Vous ne reconnaîtriez pas le N° 20 si vous pouviez le voir et ce Noël n'a rien de commun avec les autres. Ils ont transformé le jardin en entrepôt, et cinq maisons sont envahies par des officiers polonais qui passent leur temps à crier et à chanter. Gerald est au Cameroun en train de négocier avec les Français, Billy est dans la Marine, Dieu sait où ! Nous n'avons plus que la cuisinière et Janet pour prendre soin de nous, et nous campons dans la bibliothèque et dans la chambre dorée que vous aimiez tant. Nous n'allons plus du tout à Londres, car il y a peu d'essence, les trains sont sales et mal éclairés en raison du black-out, et on parle d'imposer des restrictions aux restaurants. Nous ne doutons pas que Karl soit heureux d'être à Paris. Nous l'envions de tout notre cœur. Transmettez-lui mon amitié lorsque vous lui écrirez.

Nous sommes bien d'accord avec vous au sujet de cette affreuse guerre. Notre gouvernement actuel est complètement dominé par ces horribles travaillistes et sir B. est convaincu qu'ils complotent avec les bolcheviques contre les courageux petits Finlandais. Du moins, m'a dit papa, va-t-on interdire le Daily Worker *le mois prochain. Vous dites que, si seulement nous pouvions avoir une heure d'entretien, nous trouverions un moyen d'aider nos deux pays en ces jours troublés. Vous avez tout à fait raison, et ce n'est pas aussi impossible que vous l'imaginez. Lord C. se rend aux États-Unis en février, et Miriam l'accompagnera. Vous pouvez sûrement vous rendre à Lisbonne sous un prétexte ou un autre? Vous trouveriez toujours de bonnes raisons à donner à Nanna. Comment va grand-mère? Cyril est toujours à la même adresse à Zurich. Il serait ravi de vous voir. Helmut peut bien sûr utiliser notre maison de Nice, c'est le gendarme du village qui a la clef. J'espère que la maison n'a pas été endommagée. On ne sait jamais, les Français se sont comportés dernièrement d'une façon incompréhensible! Faites-nous le plaisir de nous écrire de nouveau le plus rapidement possible. Les vieillards que nous sommes se sentent tout rajeunis de savoir que vous allez bien et que vous ne nous avez pas oubliés.*

Amicalement
Bess

Chambre des communes
Dimanche, 26 janvier 1941
Londres SW 1

Cher Walter,

Je vous prie de brûler ceci dès que vous l'aurez lu. Dites à Kef qu'il faut absolument *qu'il fournisse*

tout *ce que vous demanderez à l'usine de Lyon.*
Rappelez-lui que ce n'est pas la Résistance fran-
çaise qui a payé son salaire pendant les dix mois
qui viennent de s'écouler. Je veux que les cheminées
recommencent à fumer aussi vite que possible, ou je
vendrai la totalité de l'usine.

Vos amis de la Wehrmacht seraient-ils éventuel-
lement intéressés par l'achat de cette usine ? Cela
vous intéresserait-il que je vous nomme mon agent
au tarif habituel ? Il me semble qu'une usine dans la
zone libre de Vichy serait utile à la lumière de la loi
sur le commerce avec l'ennemi.

Je pense que les gens, ici, commencent à
comprendre de quel côté le vent a soufflé, et mettent
une sourdine à leurs rodomontades. Vous pouvez
être assurés que si vos gens entrent effectivement en
conflit avec les Soviétiques, nous autres Britanniques
ne serons pas longs à comprendre quelle attitude il
faut adopter.

Notre usine en Lettonie est perdue pour nous
depuis que ce pays s'est vendu aux Soviétiques,
et je suis heureux que nos projets pour l'usine en
Bucovine ne se soient pas réalisés.

Je suis en train de créer un « brain-trust », comme
on dit de nos jours, de gens qui partagent mon
opinion sur ces questions, en sorte que, lorsque ce
pays retrouvera enfin son bon sens, nous soyons en
mesure de passer immédiatement à l'action.

Vous avez raison en ce qui concerne les séides de
Roosevelt. Maintenant qu'il est réélu pour la troi-
sième fois, ils vont adopter l'attitude de revanche
hargneuse de la racaille socialiste ici. Toutefois,
Roosevelt n'est pas l'Amérique, et tant que vos gens
ne feront rien d'inconsidéré – par exemple lâcher

une bombe sur New York – il n'y a qu'un tout petit nombre d'Américains qui seront disposés à prendre un fusil s'il leur faut pour cela renoncer à leurs bénéfices.

    Brûlez ceci aussitôt.
    Amicalement,
    Henry.

58

Ces deux lettres ne sont peut-être pas particuliè-
rement typiques de toutes celles que je trouvai dans
le cylindre. Je les étalai toutes sur la table. Quelques-
unes portaient des monogrammes, d'autres étaient
écrites sur des feuilles arrachées d'un cahier ou d'un
bloc-notes. Qu'avaient-elles de commun ?

J'enlevai les petits cristaux de silice qui avaient
préservé les documents de l'humidité, et je parcourus
les feuillets jaunis, qui constituaient tout un livre de
noms et d'adresses. Je me demandais si, moi, j'aurais
considéré ces lettres comme l'un des plus grands
trésors du monde contemporain. Je me dis que non,
mais da Cunha était plus que cinglé. Da Cunha qui
m'avait tenu un sermon sur la valeur sacro-sainte des
classes moyennes.

Quand l'Allemagne nazie s'était effondrée comme
un château de cartes sur son créateur, les grands du
régime s'étaient efforcés de sauver du désastre un
souvenir de ce qu'ils avaient chéri du temps de leur
prospérité, par exemple, l'argent.

Certains aimaient les tableaux, et ils avaient raflé
toutes les collections. D'autres aimaient les images,
et ils avaient volé des collections de timbres. D'autres
encore aimaient le luxe, et ils avaient pris de l'or.
Ceux qui avaient la nostalgie de la belle époque nazie

avaient pris la fuite dans un sous-marin plein d'héroïne. L'un d'entre eux, saisi de la soif du pouvoir, s'était approprié ces lettres.

Lorsque la Wehrmacht avait tourné les yeux vers la Manche, et essayé de percer ce brouillard, on avait donné ordre en haut lieu de créer un gouvernement fantoche britannique. Et l'on avait demandé aux milieux diplomatiques allemands de prendre contact avec leurs anciens amis britanniques, à titre privé autant que possible. C'est ainsi qu'une foule de lettres sincères, charmantes, personnelles, avaient été envoyées à des personnes sincères et charmantes, dont on supposait qu'elles seraient disposées à devenir membres d'un Parlement soutenant le gouvernement fantoche créé par les nazis, qui devait siéger dans les îles Anglo-Normandes jusqu'à ce que Londres eût capitulé.

Ces lettres avaient été classées au début de l'hiver. On les avait de nouveau mises en réserve à la fin de l'été suivant, lorsque des lettres concernant des gouvernements fantoches avaient été adressées à de charmants et sincères Bessarabiens, Ukrainiens, Lituaniens. La poussière s'était accumulée sur elles jusqu'au moment, où, en 1945, un homme s'était rendu compte que ces lettres, écrites par des gens influents, pouvaient lui rendre la vie plus facile dans un monde hostile.

Le *Fregattenkapitän* Knobel, officier de marine, des services de recherche scientifique, s'était emparé de ses lettres, et de sa boîte d'héroïne, et s'était embarqué sur un sous-marin de type XXI à Cuxhaven. Les bouées météorologiques n'avaient pas de secret pour lui. Il avait soigneusement déposé ses instruments de chantage dans le réceptacle de métal, qu'il avait scellé hermétiquement. Au large d'Albufeira, il avait ordonné au commandant du sous-marin de jeter la bouée par-dessus le bord, et il avait lui-même gagné la côte dans un canot pneumatique. Le capitaine du sous-marin, lui, n'avait pas tardé à se noyer avec tout son équipage.

La raison du naufrage du sous-marin restait inconnue. Peu de submersibles de ce type avaient pris la mer en 1945. La plupart d'entre eux étaient encore sur cale dans les chantiers, prêts à être lancés, lorsque les Alliés avaient envahi l'Allemagne du Nord. À ma connaissance, il n'y a au monde de XXI à avoir pris la mer que celui qui se trouve au fond de l'océan Atlantique, devant Albufeira.

Tomas avait compris qu'un sous-marin transportant des nazis de haut rang contenait probablement un butin monnayable, à condition qu'on ne se laissât pas décourager par la proximité de corps en décomposition. Je ne sais pas ce que Tomas pensait de ce voisinage, et nous ne le saurons jamais. Lorsqu'il avait pris les boîtes d'héroïne (façon répandue chez les nazis d'investir leur fortune), il savait qu'il aurait besoin de quelqu'un pour l'aider à les vendre. Et il avait trouvé un associé des plus efficaces en Harry Kondit. Mais les deux hommes s'étaient bien gardés de s'aventurer sur les terrains de chasse de da Cunha. C'était la mention « prévenez K » (Knobel) figurant dans l'agenda de Smith qui m'avait fait penser un moment que Kondit était le savant.

Tomas n'avait jamais perdu le respect que lui avait inspiré da Cunha. Il esquissait un instinctif mouvement de garde-à-vous sitôt qu'il le voyait, et lui répondait du ton bref en usage dans la marine allemande. Comme tous les Allemands, da Cunha avait réussi à parler le portugais sans accent. Il était difficile de savoir à quel point Tomas était au courant du contenu du cylindre. Il en avait deviné assez pour faire chanter un des intéressés, Smith. Bien que Tomas eût été vérifié avec da Cunha l'état de la bouée météorologique tous les six mois, il n'avait jamais fait aucun effort pour la repêcher. Tomas n'avait qu'un récepteur à sa disposition. Nous, nous avions volé à da Cunha son émetteur, qui rappelait la bouée à la surface, au lieu d'enregistrer simplement son signal toutes les douze heures. Tomas s'était précipité pour tenter de s'emparer du cylindre, lorsqu'il s'était rendu compte que da Cunha avait pris la fuite.

Pourquoi da Cunha avait-il mis ses papiers en sécurité au fond de la mer ? C'était un maître chanteur. Smith avait été « convaincu » de lui équiper un laboratoire de recherches. Smith avait été « convaincu » d'obtenir mon rappel d'Albufeira. Combien d'autres personnes da Cunha avait-il convaincues de lui rendre service ?

Je pris le dossier marqué OSTRA. Une huître gisant au fond de la mer avec une perle : c'était une bonne définition pour la bouée de da Cunha. J'ajoutai au dossier les lettres que j'avais trouvées dans la bouée, et je déposai le tout sur le bureau de Dawlish, où les papiers formèrent une petite montagne.

— Ainsi, tout y est, dit Dawlish, en reniflant d'un air pensif.

— Oui, fis-je. Je pense que la plupart de ces gens ont dû verser de l'argent à un moment quelconque.

— Du beau travail, dit Dawlish. Je savais que vous y arriveriez.

— Bien sûr, répondis-je, surtout lorsque vous vouliez interrompre l'enquête.

Dawlish me regarda par-dessus ses lunettes, parti-cularité qui peut devenir très irritante.

— En outre, ajoutai-je, vous saviez que cette fille travaillait pour le Bureau américain des narcotiques, et vous ne m'en avez rien dit.

— C'est vrai, dit Dawlish calmement, mais elle était une employée subalterne, et je ne voulais pas nuire aux bonnes relations à l'intérieur de votre groupe.

Nous nous regardâmes fixement pendant deux ou trois minutes.

— Je parlais de relations sociales, bien entendu, dit Dawlish.

— Bien entendu, acquiesçai-je, pendant que Dawlish vidait sa pipe avec son canif.

— Quand avez-vous l'intention de faire arrêter Smith ? demandai-je.

— Arrêter ? répéta Dawlish. Quelle drôle d'idée ! Pourquoi voulez-vous que nous l'arrêtions ?

— Parce qu'il est la pierre angulaire d'un mouve-ment fasciste international qui a pour but de renverser les gouvernements démocratiques, expliquai-je patiemment, tout en sachant que Dawlish me faisait marcher.

— Vous ne pensez tout de même pas que nous puissions mettre en prison toutes les personnes répondant à cette définition ? riposta Dawlish. Il n'y aurait jamais assez de place, et puis, où le gouverne-ment de Bonn trouverait-il d'autres fonctionnaires ?

Il m'adressa un sourire sardonique, et tapota la pile de documents.

— Nos amis nous sont beaucoup plus utiles là où ils sont, pourvu qu'ils sachent que le gouvernement de Sa Majesté dispose de ce petit dossier dans la cave de Kevin Cassel.

Il ouvrit le tiroir de son bureau et en sortit une pile encore plus énorme de documents. Sur le dossier, Alice avait inscrit de son écriture élancée : « Mouvement Jeune Europe ». Il débordait du résultat de longs mois de travail dont Dawlish ne m'avait jamais parlé.

— Vous n'avez pas compris votre rôle, mon garçon, dit-il du ton de l'homme content de lui. Nous ne vous avons pas envoyé là-bas pour *découvrir* quelque chose, mais parce que nous savions que vous vous arrangeriez pour leur faire commettre une imprudence.

J'allai porter tout le matériel à Kevin Cassel au Registre central. Il signa et tamponna le reçu officiel, et me souhaita un joyeux Noël.

— C'est un jour comme un autre, grognai-je.

Pourquoi souriait-il toujours ?

Lorsque je retournai à Charlotte Street, je vis une vieille dame écrire « Joyeux Noël » dans sa vitrine avec des bouts de coton. Dehors, un homme déblayait la neige à la pelle.

— Maintenant, vous voyez à quoi ressemble un endroit où l'on travaille, remarqua Dawlish, en faisant des allusions provocantes au temps que j'avais passé à faire le lézard au soleil.

Dawlish avait convoqué en mon nom le sous-comité pour la formation du personnel. C'était un coup de maître dans sa lutte avec O'Brien pour la domination du comité Strutton. Dawlish avait mis tous les membres du comité Strutton dans le sous-comité pour la formation du personnel, à l'exception d'O'Brien. En d'autres termes, c'était comme si nous avions tenu des sessions dont O'Brien était exclu. Dawlish était étalé de toute sa largeur et de toute sa longueur dans son fauteuil. Il envoyait des nuages de fumée dans le visage du duc de Wellington, en déclarant que le succès n'était qu'un état d'esprit.

Bernhard avait envahi tout mon bureau, mais s'était bien gardé de faire aucun de mes travaux administratifs. Les lentilles du Nikon étaient barbouillées de confiture d'abricot, et ma secrétaire faisait la moitié du travail de tout l'immeuble. J'expulsai Bernhard et ses vingt dossiers et, bien qu'il protestât bruyamment, je l'invitai à s'installer ailleurs.

— Je vous dois un kilo de sucre, dit-il en partant.

— Voler du sucre est un crime, grommelai-je. On ne vous apprend donc pas la bonne éducation à Cambridge ?

— La seule chose que j'aie apprise à Cambridge, dit Bernhard, c'est la façon d'enfiler des pantalons étroits sans enlever ses bottes.

Alice m'apporta du sucre.

Le vendredi, j'allai acheter des cadeaux de Noël avec Charly dans le West End. Elle prit pour son père un abonnement à *Playboy*, et j'envoyai à Baix une cravate d'Eton. Je pense que, chacun à notre façon, nous luttions contre le conformisme. Elle essaya de se moquer de moi à propos de ces théories sur la fonte de la glace auxquelles j'avais cru, mais je ne réagis pas.

— Votre père est bien amiral, n'est-ce pas ? demandai-je.

— Mais oui, chéri.

— Bon. Alors je voudrais lui parler de cet équipement de plongée sous-marine. Lisbonne en a perdu une partie. J'en suis responsable : on me demande de payer deux cent cinquante livres.

— Venez donc chez moi, dit-elle. Je vais voir ce que je peux faire.

— Vous voulez bien m'aider ? demandai-je.

— Vous consoler, répondit-elle. Vous consoler.

Cet ouvrage a été composé par
Soft Office

Impression réalisée par
CPI Bussière
en août 2023
pour le compte des Éditions Archipoche

Imprimé en France
N° d'édition : 794
N° d'impression : 2073154
Dépôt légal : août 2023